32 **trente-deux** trãt'dö
40 **quarante** ka'rãt
50 **cinquante** ßẽ'kãt
60 **soixante** ßoa'ßãt
70 **soixante-dix** ßoaßãt'diß
80 **quatre-vingt** katrö'wẽ
90 **quatre-vingt-dix** katröwẽ'diß
100 **cent** ßã
101 **cent un** ßã ẽ
102 **cent deux** ßã dö
110 **cent dix** ßã diß
111 **cent onze** ßã õs
120 **cent vingt** ßã wẽ
200 **deux cents** dö ßã
300 **trois cents** troa ßã
437 **quatre cent trente-sept** 'katrö ßã trãt'ßät
1000 **mille** mil
2000 **deux mille** dö mil
10 000 **dix mille** di mil
100 000 **cent mille** ßã mil
1000 000 **un million** ẽ mi'ljõ

Die Ordnungszahlen

1. **premier** prö'mje
2. **deuxième** dö'sjäm
3. **troisième** troa'sjäm
4. **quatrième** katri'jäm
5. **cinquième** ßẽ'kjäm
6. **sixième** ßi'sjäm
7. **septième** ßä'tjäm
8. **huitième** üi'tjäm
9. **neuvième** nö'wjäm
10. **dixième** di'sjäm

Das Allerwichtigste

Guten Tag!	**Bonjour!** bõ'schur!
Guten Abend!	**Bonsoir!** bõ'ßoar!
Auf Wiedersehen!	**Au revoir!** o rö'woar!
…, bitte!	**…, s'il vous plaît!** …, ßil wu plä!
Danke!	**Merci!** mär'ßi!
Ja.	**Oui.** ui.
Nein.	**Non.** nõ.
Entschuldigen Sie!	**Pardon!** par'dõ!
Rufen Sie schnell einen *Arzt / Krankenwagen*!	**Appelez vite *un médecin / une ambulance*!** ap'le wit *ẽ med'ßẽ / ün_ãbü'lãß*!
Wo ist die Toilette?	**Où sont les toilettes?** u ßõ le toa'lät?
Wann?	**Quand?** kã?
Was?	**Quoi?** koa?
Wo?	**Où?** u?
Hier.	**Ici.** i'ßi.
Dort.	**Là-bas.** la'ba.
Rechts.	**A droite.** a droat.
Links.	**A gauche.** a gosch.
Haben Sie …?	**Vous avez …?** wus_a'we …?
Ich möchte …	**Je voudrais …** schö wu'drä …
Was kostet das?	**Combien ça coûte?** kõ'bjẽ ßa kut?
Wo ist …?	**Où est …?** u ä …?
Wo gibt es …?	**Où est-ce-qu'il y a …?** u äß_kil_ja …?

Langenscheidt

Sprachführer Französisch

mit Reisewörterbuch
und Kurzgrammatik

Langenscheidt

Berlin · München · Wien · Zürich · New York

Herausgegeben von der Langenscheidt-Redaktion
Bearbeitet von Marie-France Cecchini unter Mitarbeit
von Maria Hoffmann-Dartevelle, Magaly Baudel
Lautschrift von Iris Keramidas
Grafik-Design: Kathrin Mosandl

Bildnachweis:
APA Publications: S. 27, 30, 62
Corbis Images: S. 15
EyeWire Images: S. 71
MEV: S. 21, 25, 65, 69, 75, 137, 141, 163, 181, 193, 203
Photodisc: S. 39, 199, 79, 82, 116, 145, 155, 158, 214
E. Sagenschneider: S. 33, 41, 51, 57, 96, 105, 112, 129, 135, 169
stockbyte: S. 71, 108, 121, 175, 190

Abkürzungen:

m	männlich
f	weiblich
pl	Plural
unv	unverändert

Umwelthinweis: gedruckt auf chlorfrei gebleichtem Papier

Druck: Mercedes-Druck, Berlin
Bindung: Stein + Lehmann, Berlin
Satz: Claudia Wild, Stuttgart
Printed in Germany
ISBN 978-3-468-22157-6
www.langenscheidt.de

1. 2. 3. 4. 11 10 09 08

Erste Kontakte 15

Übernachten 25

Unterwegs 39

Reisen mit Kindern 65

Behinderte 71

Kommunikation 75

Essen und Trinken 79

Einkaufen 105

Sport und Entspannung 137

Kultur und Nachtleben 155

Behörden 169

Gesundheit 175

Die Zeit 193

Wetter und Umwelt 199

Wenn es unterschieliche Formen je nach Geschlecht der Person gibt, ist die männliche Form mit ♂ und die weibliche mit ♀ markiert. Z.B. sagt eine Frau: **Je suis heureuse** und ein Mann: **Je suis heureux.**
In den Wortlisten und in der Grammatik verwenden wir dagegen die Abkürzung ***m*** für männlich und ***f*** für weiblich.

Tschüs! — **Salut !** ßa'lü!

Schön, Sie kennengelernt zu haben. — **Je suis ♂ heureux / ♀ heureuse d'avoir fait votre connaissance.** schö ßüis ♂ ö'rö / ♀ ö'rös da'woar fä 'wɔtrö kɔnä'ßãß.

Darf ich bekannt machen? Das ist … — **Permettez-moi de vous présenter. C'est …** pärmäte'mua dö wu presã'te. ßä …

Woher *kommen Sie / kommst du*? — **D'où** …

Sind Sie / Bist du verheiratet? — ***Êtes*** … *ät'w*…

Haben Sie / Hast du Kinder? — ***Avez*** … *awe'*…

Bei Auslassungspunkten können Sie das einsetzen, was Sie gerade sagen möchten. Ergänzungen finden Sie in der Liste „weitere Wörter" zu jedem Kapitel.

Treffen wir uns *heute Abend / morgen*? — **Si on se voyait *ce soir / demain* ?** ßi õ ßö woa'jä *ßö ßoar / dö'mẽ*?

Wir könnten etwas zusammen machen, wenn *Sie möchten / du* … — **On pourrait faire quelque chose ensemble, si *vous le voulez / tu le veux*.** õ pu'rä fär kälkö schos ã'ßãblö …

Manchmal sind in einem Satz zwei verschiedene Möglichkeiten angegeben. Sie sind mit Schrägstrich getrennt und kursiv gesetzt. Lösen Sie diese entsprechend auf, je nachdem was Sie sagen wollen; also entweder *heute Abend* **ce soir** oder *morgen* **demain**.

Sätze mit diesem Symbol können Sie auf der CD hören.

Wenn es mehrere Möglichkeiten gibt, einen Satz fortzuführen, stehen die möglichen Ergänzungen unter dem Satz. Setzen Sie die passende Ergänzung in die Lücke mit den drei Punkten ein

Beim Arzt

Ich bin (stark) erkältet. J'ai un (gros) rhume. schä ẽ (gro) rüm.

Ich habe … J'ai … schä …

- Kopfschmerzen. – mal à la tête. mal a la tät
- Halsschmerzen. – mal à la gorge. mal a la gorsch
  hohes Fieber. – une forte fiè…
- Fieber. – de la fièvre.
- Durchfall. – la diarrhée.

Ich fühle mich nicht wohl. Je ne me sens … schö nö mö ßã …

Mir ist schwindelig. J'ai des vertige…

Mir *tut/tun* … weh. J'ai mal *à/aux*…

Um Ihnen die Aussprache zu erleichtern, sind alle französischen Sätze und Wörter zusätzlich in Lautschrift angegeben.

► *Körperteile und Organe,* Seite 185

Qu'est-ce que vous avez comme problèmes ? Was für Beschwerden haben Sie?

Où avez-vous mal ? Wo haben S…

Ici, vous avez mal ? Tut das weh…

Sätze, die Sie nicht selber sagen werden, die man aber vielleicht zu Ihnen sagt, haben wir in umgekehrter Sprachrichtung (also links Französisch, rechts Deutsch) aufgenommen.

Der rote Pfeil verweist Sie auf andere Kapitel, in denen Sie weitere Wörter und Sätze finden.

Aussprache

Um Ihnen eine Hilfe bei der Aussprache des Französischen zu geben, haben wir alle Wörter und Sätze zusätzlich in vereinfachten Lautschrift wiedergegeben. Außerdem können Sie die Sätze, die mit dem CD-Symbol markiert sind, auf der CD hören, die zusammen mit dem Sprachführer als „Reise-Set Französich“ oder separat als „Sprachführer Französisch. Audio-CD“ erhältlich ist.

In der folgenden Übersicht sehen Sie links den französischen Buchstaben, dann das Lautschriftzeichen, die Erklärung der Aussprache und zuletzt ein Beispiel.

c	ß	vor *e* und *i* wie stimmloses *s* in Messe	**cela** ßö'la *das*
	k	sonst wie *k*	**comme** kɔm *wie*
ç	ß	wie stimmloses *s* in *Messe*	**ça** ßa *das*
ch	sch	wie *sch*	**chemise** schö'mis *Hemd*
e	e	geschlossenes *e* wie in *See*	**été** e'te *Sommer*
	ä	kurzes offenes *e* wie in *ändern*	**adresse** a'dräß *Adresse*
	ö	schwaches *e* wie in *bitte*	**je** schö *ich*
g	sch	vor *e* und *i* wie weiches *sch*, ähnlich wie *g* in *Genie*	**boulangerie** buläsch'ri *Bäckerei*
	g	sonst wie weiches *g*	**gare** gar *Bahnhof*
j	sch	wie weiches *sch*, ähnlich wie in *g Genie*	**jour** schur *Tag*

ll	l j	manchmal wie *l* manchmal wie *j*	**ville** wil *Stadt* **fille** fij *Tochter*
o	o ɔ	geschlossenes *o* wie in *Moral* offenes *o* wie in *Wolle*	**hôtel** o'täl *Hotel* **octobre** ɔk'tɔbrö *Oktober*
s	ß s	stimmloses *s* wie in *Hast* stimmhaftes *s* wie in *Sonne*	**salut** ßa'lü *hallo* **chose** schos *Sache*
u	ü	wie *ü*	**tu** tü *du*
v, w	w	wie *w* in *Weg*	**vin** vẽ *Wein*
y	i j	vor Konsonanten wie *i* sonst wie *j*	**typique** ti'pik *typisch* **yeux** jö *Augen*

Außerdem sind folgende Buchstabenkombinationen wichtig:

ai, ay	ä	wie *ä*	**plaire** plär *gefallen*
au, eau	o	wie *o*	**au revoir** o rö'woar *Auf Wiedersehen*
eu	ö	wie *ö*	**deux** dö *zwei*
gn	nj	sog. mouilliertes *n*, wie in *Champagner*	**Allemagne** al'manj *Deutschland*
gue, gui	ge, gi	wie *ge* bzw. *gi*, d.h. das *u* bleibt stumm	**guichet** gi'schä *Schalter*

oi	oa	gleitendes *oa*, ähnlich wie im englischen *water*	**soir** ßoar *Abend*
ou	u	wie *u* in *nur*	**vous** wu *Sie*
qu	k	wie *k*	**qui** ki *wer*
ui	ẽ	gleitendes, sehr geschlossenes *ü*	**huit** üit *acht*

Als Besonderheit der französischen Sprache kennen Sie vielleicht schon die Nasale, Buchstabenkombination aus Vokal und folgendem n oder m, die durch die Nase gesprochen werden:

an, en	ã	durch die Nase gesprochenes *an*	**dans** dã *in*
in, ein, ain	ẽ	durch die Nase gesprochenes *en*	**vin** wẽ *Wein*
on	õ	durch die Nase gesprochenes *on*	**ton** tõ *dein*

Ein genereller Hinweis: Im Französischen werden die Konsonanten am Ende eines Wortes oft nicht mitgesprochen. Auch die oben angeführten Buchstabenkombinationen können alle noch durch Konsonanten ergänzt werden; so kann z.B. **eu** auch als **eux**, **eut** usw. auftreten.

Das **h** wird im Französischen nie ausgesprochen.

Sicher haben Sie bei den Beispielwörtern oben schon gesehen, dass wir zur Kennzeichnung der Betonung bei den Einzelwörtern jeweils vor die betonte Silbe einen Betonungsakzent ' gesetzt haben. Als Anhaltspunkt können Sie sich merken, dass bei Wörtern und Sätzen die Betonung in der Regel am Ende liegt.

Weitere Hinweise zur Aussprache:

Eine Bindung (*Liaison*) wird zwischen zwei eng zusammengehörenden Wörtern gemacht, wenn das erste Wort mit einem Konsonanten aufhört und das zweite Wort mit einem Vokal oder h beginnt. Bei dieser Verbindung wird der Konsonant ausgesprochen und zum zweiten Wort gezogen:

nous aimons nus‿ä'mõ wir *lieben*
les enfants les‿ã'fã die *Kinder*

Bestimmte Bindungen werden immer gemacht. Dazu zählen die Bindung zwischen Artikel und Substantiv, Pronomen und Substantiv, Zahlwort und Substantiv, Adjektiv und Substantiv oder Pronomen und Verb:

Unerlässlische Bindungen:
Artikel + Substantiv: **les amis** les‿a'mi *die Freunde*
Pronomen + Substantiv: **ces amis** ßes‿a'mi *diese Freunde*
Zahlwort + Substantiv: **trois amis** troas‿a'mi *drei Freunde*
Adjektiv + Substantiv: **un grand hotel** ẽ gröd‿o'täl *ein großes Hotel*
Pronomen + Verb: **nous allons** nus‿a'lõ *wir gehen*
nach den Präpositionen **chez, dans, en, sans, sous**
nach den Adverbien **très, tout, plus, moins**

Die Auslassung (*Elision*):

Wenn ein Wort mit Vokal aufhört und das folgende Wort mit Vokal oder **h** beginnt, wird der Endvokal des ersten Wortes weggelassen. Die Aufstellung auf der folgenden Seite enthält wichtige Wörter, bei denen eine Elision stattfindet.

Wort	Beispiel
de *von*	**d'elle** däl *von ihr*
je *ich*	**j'aime** schäm *ich mag*
la *sie*	**Il l'a vue.** il la wü. *Er hat sie gesehen.*
le *er, ihn*	**Il l'a vu.** il la wü. *Er hat ihn gesehen.*
me *mich*	**Il m'a vu.** il ma wü. *Er hat mich gesehen.*
ne *(erster Teil der Verneinung)*	**Je n'ai pas envie.** schö nä pa õwi. *Ich habe keine Lust.*
que *dass, den, als*	**Il est plus grand qu'elle.** il ä plü grõ käl. *Er ist größer als sie.*
qu'est-ce que *was*	**Qu'est-ce qu'il veut ?** käßkil wö? *Was will er?*
si *wenn*	**s'il pleut** ßil plö *wenn es regnet*
te *dich*	**Je t'ai vu.** schö tä vu. *Ich habe dich gesehen.*

Erste Kontakte

Guten Tag!
Bonjour !

Wie geht's?
Comment ça va ?

Sich verständigen

Sprechen Sie Deutsch?	**Vous parlez allemand ?** wu par'le al'mã?
Gibt es hier jemanden, der *Deutsch / Englisch* spricht?	**Il y a quelqu'un ici qui parle *allemand / anglais* ?** il‿ja käl'kẽ i'ßi ki parl *al'mã / ã'glä*?
Haben Sie verstanden?	**Vous avez compris ?** wus‿a'we kõ'pri?
Ich habe verstanden.	**J'ai compris.** schä kõ'pri.
Ich habe das nicht verstanden.	**Je n'ai pas compris.** schö nä pa kõ'pri.
Könnten Sie bitte etwas langsamer sprechen?	**Vous pourriez parler un peu plus lentement, s'il vous plaît ?** wu pu'rje par'le ẽ pö plü lãt'mã, ßil wu plä?
Könnten Sie das bitte wiederholen?	**Vous pourriez répéter, s'il vous plaît ?** wu pu'rje repe'te, ßil wu plä?
Wie heißt das auf Französisch?	**Comment ça se dit en français ?** kɔ'mã ßa ßö di ã frã'ßä?
Was bedeutet ...?	**Que veut dire ... ?** kö wö dir ...?
Könnten Sie es mir bitte aufschreiben?	**Vous pourriez me l'écrire, s'il vous plaît ?** wu pu'rje mö le'krir, ßil wu plä?

Sich begrüßen und verabschieden

Guten Tag!	**Bonjour !** bõ'schur!
Guten Abend!	**Bonsoir !** bõ'ßoar!
Gute Nacht!	**Bonne nuit !** bɔn nüi!
Hallo!	**Salut !** ßa'lü!

info Bonjour sagt man in Frankreich für *Guten Morgen* und *Guten Tag*, aber auch abends zur Begrüßung wie *Guten Abend*. **Bonsoir** kann man sehr spät abends auch zur Begrüßung sagen, ansonsten wird es nur abends zur Verabschiedung gebraucht. Auch *Gute Nacht* heißt **bonsoir**; nur zu Kindern sagt man, meist in Verbindung mit dem Gutenachtkuss, **bonne nuit**.
Wenn man jemanden kennenlernt oder jemandem das erste Mal begegnet, ist eine höfliche Begrüßung **Bonjour, monsieur/ Bonjour, madame**.
Wenn man sich schon etwas besser kennt, begrüßt man sich mit einem *Kuss auf die Wange* **une bise**. Ob man sich zwei, drei oder sogar vier **bises** gibt, hängt von der Region ab.

Wie geht es *Ihnen / dir*?	**Comment *allez-vous / vas-tu* ?** kɔ'mã *t‿ale'wu / wa tü*?
Wie geht's?	**Comment ça va ?** kɔ'mã ßa wa?
Danke, gut. Und *Ihnen / dir*?	**Très bien, merci. Et *vous / toi* ?** trä bjẽ, mär'ßi. e *wu / toa*?

info In Frankreich beginnt man ein Gespräch sehr oft mit **comment allez-vous?** Wenn man sich gut kennt, sagt man meist **comment ça va?** oder **ça va?** Als Antwort erhält man aus Höflichkeit fast immer ein **Et vous?** *Und Ihnen?* Es macht sich immer gut, ein Gespräch mit einem netten Wunsch zu beenden.

Schönen Tag noch!	**Bonne journée !** bɔn schur'ne!
Schönes Wochenende!	**Bon week-end !** bõ ui'känd!
Viel Glück!	**Bonne chance !** bɔn schãß!
Einen schönen Abend!	**Bonne soirée !** bɔn ßoa're!

Gute Heimreise!

Bon retour ! bõ rö'tur!

Es tut mir leid, aber ich muss jetzt gehen.

Je suis désolé, mais je dois partir maintenant. schö ßüi deso'le, mä schö doa par'tir mẽt'nã.

Auf Wiedersehen!

Au revoir ! o rö'woar!

Bis *bald / morgen*!

A *bientôt / demain* ! a *bjẽ'to / dö'mẽ*!

Tschüs!

Salut ! ßa'lü!

Schön, Sie kennengelernt zu haben.

Je suis ♂ heureux / ♀ heureuse d'avoir fait votre connaissance. schö ßüis‿♂ ö'rö / ♀ ö'rös da'woar fä 'wɔtrö kɔnä'ßãß.

Vielen Dank für den netten *Abend / Tag*.

Merci pour cette charmante *soirée / journée*. mär'ßi pur ßät schar'mãt *ßoa're / schur'ne*.

Sich kennenlernen

Sich bekannt machen

Wie *heißen Sie / heißt du*?

Comment *vous appelez-vous / tu t'appelles* ? kɔ'mã *wus‿aple'wu / tü ta'päl*

Ich heiße ...

Je m'appelle ... schö ma'päl ...

info Franzosen siezen sich hartnäckig, selbst wenn sie jemanden schon lange Jahre kennen. Sie werden oft hören, dass man sich beim Vornamen anredet, aber trotzdem „Sie" sagt. Männer redet man nur mit **Monsieur**, Frauen nur mit **Madame** oder **Mademoiselle** an, ohne den Familiennamen, selbst wenn man ihn kennt.

Darf ich bekannt machen? Das ist ... — Permettez-moi de vous présenter. C'est ... pärmäte'mua dö wu presã'te. ßä ...

- mein Mann. — mon mari. mõ ma'ri.
- meine Frau. — ma femme. ma fam.
- mein Freund. — mon ami. mõn‿a'mi.
- meine Freundin. — mon amie. mõn‿a'mi.

Woher *kommen Sie* / *kommst du*? — D'où *venez-vous* / *viens-tu* ? du *wöne'wu* / *wjẽ tü*?

Ich komme aus ... — Je viens ... schö wjẽ ...

- Deutschland. — d'Allemagne. dal'manj.
- Österreich. — d'Autriche. do'trisch.
- der Schweiz. — de Suisse. dö ßüiß.

Sind Sie / *Bist du* verheiratet? — *Êtes-vous* / *Es-tu* marié ? *ät'wu* / *ä'tü* ma'rje?

Haben Sie / *Hast du* Kinder? — *Avez-vous* / *As-tu* des enfants ? *awe'wu* / *a'tü* des‿ã'fã?

Sich verabreden

► *Zusagen oder ablehnen,* Seite 20

Treffen wir uns *heute Abend* / *morgen*? — Si on se voyait ce *soir* / *demain* ? ßi õ ßö woa'jä *ßö ßoar* / *dö'mẽ*?

Wir könnten etwas zusammen machen, wenn *Sie möchten* / *du möchtest*. — On pourrait faire quelque chose ensemble, si *vous le voulez* / *tu le veux*. õ pu'rä fär kälkö schos ã'ßãblö, ßi *wu lö wu'le* / *tü lö wö*.

Wollen wir heute Abend zusammen essen? — Si on dînait ensemble ce soir ? ßi õ di'nä ã'ßãblö ßö ßoar?

Ich möchte *Sie* / *dich* einladen.	**Je voudrais *vous inviter* / *t'inviter*.** schö wu'drä *wus‿ẽwi'te* / *tẽwi'te*.

► *Gemeinsam essen,* Seite 101; *Abends ausgehen,* Seite 168

Wann / *Wo* treffen wir uns?	**On se donne rendez-vous *à quelle heure* / *où* ?** õ ßö dɔn rãde'wu *a käl‿ör* / *u*?
Treffen wir uns doch um ... Uhr.	**Disons qu'on se rencontre à ... heures.** di'sõ kõ ßö rã'kõtr‿a ... ör.
Ich hole *Sie* / *dich* um ... Uhr ab.	**Je passerai *vous* / *te* prendre à ... heures.** schö paß'rä *wu* / *tö* prãdr‿a ... ör.
Ich bringe Sie nach Hause.	**Je vous raccompagne jusque chez vous.** schö wu rakõ'panj schüßk sche wu.
Ich bringe dich nach Hause.	**Je te raccompagne jusque chez toi.** schö tö rakõ'panj schüßk sche toa.
Sehen wir uns noch einmal?	**On va se revoir ?** õ wa ßö rö'woar?

Zusagen oder ablehnen

Sehr gerne.	**Très volontiers.** trä wɔlõ'tje.
In Ordnung.	**O.K.** o'ke
Ich weiß noch nicht.	**Je ne sais pas encore.** schö nö ßä pas‿ã'kɔr.
Vielleicht.	**Peut-être.** pö'tätrö.
Es tut mir leid, aber ich kann nicht.	**Je suis désolé, mais je ne peux pas.** schö ßüi deso'le, mä schö nö pö pa.
Ich habe schon etwas vor.	**J'ai déjà quelque chose de prévu.** schä de'scha kälkö schos dö pre'wü.

Flirten

Sind Sie / Bist du alleine hier?	*Vous êtes / Tu es* seul ici ? *wus‿ät / tü ä* ßöl i'ßi?
Hast du *einen Freund / eine Freundin*?	As-tu *un ami / une amie* ? a tü *ẽn‿a'mi / ün‿a'mi*?
Du bist wunderschön.	Tu es magnifique. tü ä manji'fik.
Du hast wunderschöne *Haare / Augen*.	Tu as des *yeux / cheveux* magnifiques. tü a de *‿s‿jö / schö'wö* manji'fik.
Du gefällst mir sehr.	Tu me plaîs beaucoup. tü mö plä bo'ku.
Ich liebe dich.	Je t'aime. schö täm.
Ich bin gerne mit dir zusammen.	Je me sens bien avec toi. schö mö ßã bjẽ a'wäk toa.
Wann sehen wir uns wieder?	On se revoit quand ? õ ßö rö'woa kã?
Kommst du mit zu mir?	Tu viens chez moi ? tü wjẽ sche moa?
Lassen Sie mich in Ruhe!	Laissez-moi tranquille ! läße'moa trã'kil!

Höfliche Wendungen

Gefallen und Missfallen ausdrücken

Sehr gut!	**Très bien !** trä bjẽ!
Ich bin sehr zufrieden!	**Je suis très ♂ content / ♀ contente !** schö ßüi trä ♂ kõ'tã / ♀ kõ'tãt!
Das gefällt mir.	**Ça me plaît.** ßa mö plä.
Sehr gerne.	**Très volontiers.** trä wɔlõ'tje.
Das ist mir egal.	**Ça m'est égal.** ßa mät‿e'gal.
Wie schade!	**Dommage !** dɔ'masch!
Ich würde lieber …	**J'aimerais mieux …** schäm'rä mjö …
Das gefällt mir nicht.	**Ça ne me plaît pas.** ßa nö mö plä pa.
Das möchte ich lieber nicht.	**Je ne préfèrerais pas.** schö nö prefärö'rä pa.
Auf keinen Fall.	**En aucun cas.** ãn‿o'kẽ ka.

Bitten und danken

Vielen Dank.	**Merci beaucoup.** mär'ßi bo'ku.
Darf ich?	**Vous permettez ?** wu pärmä'te?
Bitte, …	**S'il vous plaît, …** ßil wu plä, …
Danke, gerne.	**Oui, merci.** ui, mär'ßi.
Nein, danke.	**Non, merci.** nõ, mär'ßi.
Könnten Sie mir bitte helfen?	**Est-ce que vous pourriez m'aider, s'il vous plaît ?** äß‿kö wu pu'rje mä'de, ßil wu plä?

Vielen Dank, das ist sehr nett von Ihnen.	Merci beaucoup. C'est très aimable de votre part. mär'ßi bo'ku. ßä träs‿ä'mablö dö 'wɔtrö par.
Gern geschehen.	Il n'y a pas de quoi. il nja pa d‿koa.
Keine Ursache.	De rien. dö rjẽ.

Sich entschuldigen

Entschuldigen Sie!	Excusez-moi ! äkßküse'moa!
Das tut mir leid.	Je suis désolé. schö ßüi deso'le.
Macht nichts!	Ça ne fait rien ! ßa nö fä rjẽ!
Das ist mir sehr unangenehm.	C'est très embarrassant pour moi. ßä träs‿ãbara'ßa pur moa.
Das war ein Missverständnis.	C'était un malentendu. ße'tät‿ẽ malãtã'dü.

Erste Kontakte: weitere Wörter

Adresse	**l'adresse** *f* la'dräß
allein	**seul** ßöl
Beruf	**la profession** la prɔfä'ßjõ
Bruder	**le frère** lö frär
danke	**merci** mär'ßi
einladen	**inviter** ẽwi'te
essen gehen	**aller manger** a'le mã'sche
Frau *(Anrede)*	**Madame** *f* ma'dam
Frau *(Ehefrau)*	**la femme** la fam
Freund	**l'ami** *m* la'mi
Freundin	**l'amie** *f* la'mi
Geschwister	**les frères et sœurs** *m/ pl* le frär e ßör
heißen; ich heiße	**s'appeler ; je m'appelle** ßap'le; schö ma'päl

Herr	**Monsieur** mö'ßjö
Junge	**le garçon** lö gar'ßõ
kennenlernen	**faire la connaissance de** fär la kɔnä'ßãß dö
Kind	**l'enfant** *m* lã'fã
kommen aus	**venir de** wö'nir dö
Land	**le pays** lö pe'i
Mädchen	**la jeune fille** la schön fij
Mann *(Ehemann)*	**le mari** lö ma'ri
mögen	**aimer** ä'me
Mutter	**la mère** la mär
Partner	**le compagnon** lö kõpa'njõ
Partnerin	**la compagne** la kõ'panj
Schule	**l'école** *f* le'kɔl
Schwester	**la sœur** la ßör
Sohn	**le fils** lö fiß
Stadt	**la ville** la wil
Student	**l'étudiant** letü'djã
Studentin	**l'étudiante** letü'djãt
studieren	**faire des études** fär des‿e'tüd
tanzen gehen	**aller danser** a'le dã'ße
Tochter	**la fille** la fij
sich treffen	**se rencontrer** ßö rãkõ'tre
Urlaub	**les vacances** *f/ pl* le wa'kãß
Vater	**le père** lö pär
sich verabreden	**se donner rendez-vous** ßö dɔ'ne rãde'wu
verheiratet	**marié** ma'rje
verstehen	**comprendre** kõ'prãdrö
wenig	**peu** pö
wiederholen	**répéter** repe'te
wiederkommen	**revenir** röw'nir
wiedersehen	**revoir** rö'woar

Über-nachten

Kann ich mir das Zimmer ansehen?
Je pourrais voir la chambre ?

Es ist sehr schön. Ich nehme es.
Elle me plaît. Je la prends.

Hotel, Pension, Privatunterkunft

Zimmersuche

Wo ist die Touristeninformation?
Où se trouve l'office du tourisme ?
u ßö truw lɔ'fiß dü tu'rismö?

info Sie können bei jedem office du tourisme *(Touristeninformation)* ein Verzeichnis der verschiedenen Übernachtungsmöglichkeiten in der Gegend bekommen. Die Touristeninformationen sind Ihnen auch gerne bei der Zimmerreservierung behilflich.

Wissen Sie, wo ich hier ein Zimmer finden kann?
Vous savez où je peux trouver une chambre ici ? wu ßa'we u schö pö tru'we ün schãbr‿i'ßi?

Können Sie mir … empfehlen?
Vous pourriez me recommander … wu pu'rje mö rökɔmã'de …

- ein gutes Hotel
- ein preiswertes Hotel
- eine Pension
- eine Privatunterkunft

- **un bon hôtel ?** ẽ bɔn‿o'täl?
- **un hôtel pas trop cher ?** ẽn‿o'täl pa tro schär?
- **une pension ?** ün pã'ßjõ?
- **une location chez l'habitant ?** ün lɔka'ßjõ sche labi'tã?

Wie viel kostet es (ungefähr)?
Quel est le prix (à peu près) ? käl ä lö pri (a pö prä)?

Können Sie für mich dort reservieren?
Vous pourriez réserver pour moi ? wu pu'rje resär'we pur moa?

Gibt es hier *eine Jugendherberge / einen Campingplatz*?
Est-ce qu'il y a *une auberge de jeunesse / un terrain de camping* par ici ? äß‿kil‿ja *ün‿o'bärsch dö schö'näß / ẽ te'rẽ dö kã'ping* par i'ßi?

info Neben den Hotels gibt es in Frankreich diverse andere Übernachtungsmöglichkeiten: die **chambres d'hôte** *(Gästezimmer)* bieten Übernachtung und Frühstück, manchmal auch Abendessen. Sie finden sie vor allem auf dem Land – achten Sie auf Schilder am Straßenrand oder am Haus. Mit **gîte rural** bezeichnet man eine *möblierte Ferienwohnung auf dem Lande*, die man für ein Wochenende oder wochenweise mieten kann. Die Bezeichnung **Gîte de France** ist ein Gütesiegel, das die Übernachtungsmöglichkeiten auf dem Land mit 1, 2 oder 3 Maiskolben auszeichnet, analog zu den Sternen bei den Hotels. Beim **camping à la ferme** zeltet man auf dem Grundstück eines Bauern. Meist gibt es die Möglichkeit, auf dem Bauernhof zu frühstücken. Der **gîte d'étape** ist eine Unterkunft für Wanderer entlang der großen Wanderwege. Man wird in Schlafsälen oder Zelten untergebracht; im Sommer ist telefonische Voranmeldung ratsam.

Ist es weit von hier?	**C'est loin d'ici ?** ßä loẽ di'ßi?
Wie komme ich dorthin?	**Comment est-ce que je peux m'y rendre ?** kɔ'mã äß‿kö schö pö mi 'rãdrö?

Ankunft

Für mich ist bei Ihnen ein Zimmer reserviert. Mein Name ist …	**On a retenu chez vous une chambre à mon nom. Je m'appelle …** õn‿a rötö'nü sche wu ün schãbr‿a mõ nõ. schö ma'päl …
Haben Sie ein *Doppelzimmer / Einzelzimmer* frei …	**Vous auriez une chambre pour *deux personnes / une personne* …** wus‿o'rje ün 'schãbrö pur *dö pär'ßɔn / ün pär'ßɔn* …
– für eine Nacht?	**– pour une nuit ?** pur ün nüi?
– für … Nächte?	**– pour … nuits ?** pur … nüi?
– mit *Bad / Dusche*?	**– avec *bain / douche* ?** a'wäk *bẽ / dusch*?
– mit Balkon?	**– avec balcon ?** a'wäk bal'kõ?
– mit Klimaanlage?	**– avec air conditionné ?** a'wäk är kõdißjo'ne?
– mit Ventilator?	**– avec un ventilateur ?** a'wäk‿ẽ wãtila'tör?
– mit Blick aufs Meer?	**– avec vue sur la mer ?** a'wäk wü ßür la mär?

info Doppelzimmer haben meist ein „französisches Bett" für zwei Personen, das zwischen 1,40 und 1,60 Meter breit ist. Wer sein eigenes Bett braucht, fragt bei der Bestellung eines Doppelzimmers nach **lits jumeaux**, *getrennten Betten*.

Malheureusement, nous sommes complets.	Wir sind leider ausgebucht.
La chambre se libèrera *demain / le* ….	*Morgen / Am* … wird ein Zimmer frei.

Wie viel kostet es …	**Combien ça coûte …** kõ'bjẽ ßa kut …
– mit Frühstück?	**– avec le petit déjeuner ?** a'wäk lö pö'ti deschö'ne?
– mit Halbpension?	**– avec la demi-pension ?** a'wäk la dömipã'ßjõ?
– mit Vollpension?	**– avec la pension complète ?** a'wäk la pã'ßjõ kõ'plät?
Gibt es eine Ermäßigung, wenn man … Nächte bleibt?	**Est-ce qu'il y a une réduction, si l'on reste … nuits ?** äß‿kil‿ja ün redük'ßjõ, ßi lõ räßt … nüi?
Kann ich mir das Zimmer ansehen?	**Je pourrais voir la chambre ?** schö pu'rä woar la 'schãbrö?
Könnten Sie ein zusätzliches Bett aufstellen?	**Vous pourriez installer un lit supplémentaire ?** wu pu'rje ẽßta'le ẽ li ßüplemã'tär?
Haben Sie noch ein anderes Zimmer?	**Vous auriez encore une autre chambre ?** wus‿o'rje ã'kɔr ün‿'otrö 'schãbrö?
Es ist sehr schön. Ich nehme es.	**Elle me plaît. Je la prends.** äl mö plä. schö la prã.
Könnten Sie mir das Gepäck aufs Zimmer bringen?	**Vous pourriez apporter mes bagages dans la chambre ?** wu pu'rje apɔr'te me ba'gasch dã la 'schãbrö?
Wo ist das Bad?	**Où sont les toilettes ?** u ßõ le toa'lät?
Wo kann ich meinen Wagen abstellen?	**Où est-ce que je peux garer ma voiture ?** u äß‿kö schö pö ga're ma woa'tür?
Wann gibt es Frühstück?	**À quelle heure est le petit déjeuner ?** a käl‿ör ä lö pö'ti deschö'ne?

Service

Kann ich Ihnen meine Wertsachen zur Aufbewahrung geben?

Est-ce que je peux vous confier mes objets de valeur ? äß‿kö schö pö wu kõ'fje mes‿ɔb'schä dö wa'lör?

Ich möchte meine Wertsachen abholen.

Je voudrais reprendre mes objets de valeur. schö wu'drä rö'prãdrö mes‿ɔb'schä dö wa'lör.

Bitte den Schlüssel für Zimmer …

La clé de la chambre …, s'il vous plaît. la kle dö la 'schãbrö …, ßil wu plä.

Kann ich von meinem Zimmer aus (nach Deutschland) telefonieren?

Est-ce que je peux téléphoner (en Allemagne) depuis ma chambre ? äß‿kö schö pö telefɔ'ne (ãn‿al'manj) dö'püi ma 'schãbrö?

Ist eine Nachricht für mich da?

Est-ce qu'il y a un message pour moi ? äß‿kil‿ja ẽ me'ßasch pur moa?

Könnte ich bitte noch … haben?	**Est-ce que je pourrais avoir encore …, s'il vous plaît ?** äß‿kö schö pu'rä a'woar ã'kɔr …, ßil wu plä?
– eine Decke	**– une couverture** ün kuwär'tür
– ein Handtuch	**– une serviette** ün ßär'wjät
– ein paar Kleiderbügel	**– quelques cintres** 'kälkö 'ßẽtrö
– ein Kopfkissen	**– un oreiller** ẽn‿ɔrä'je
Meine Tür lässt sich nicht abschließen.	**Ma porte ne ferme pas à clé.** ma pɔrt nö färm pa a kle.
Das Fenster geht nicht *auf / zu*.	**La fenêtre ne *s'ouvre / ferme* pas.** la fö'nätrö nö *'ßuwrö / färm* pa.
… funktioniert nicht.	**… ne marche pas.** … nö marsch pa.
– Die Dusche	**– La douche** la dusch
– Der Fernseher	**– La télévision** la telewi'sjõ
– Die Heizung	**– Le chauffage** lö scho'fasch
– Der Internetanschluss	**– La connexion à internet** la kɔnä'kßjõ a ẽtär'nät
– Die Klimaanlage	**– La climatisation** la klimatisa'ßjõ
– Das Licht	**– La lumière** la lü'mjär
– Die Spülung	**– La chasse d'eau** la schaß do
– Der Ventilator	**– Le ventilateur** lö wãtila'tör
Es kommt kein (warmes) Wasser.	**Il n'y a pas d'eau (chaude).** il nja pa do (schod).
Der Wasserhahn tropft.	**Le robinet goutte.** lö rɔbi'nä gut.
Der Abfluss ist verstopft.	**L'écoulement est bouché.** lekul'mã ä bu'sche.
Die Toilette ist *verstopft / schmutzig*.	**Les toilettes sont *bouchées / sales*.** le toa'lät ßõ *bu'sche / ßal*.

Abreise

Wecken Sie mich bitte (morgen früh) um ... Uhr.
Réveillez-moi (demain matin) à ... heures, s'il vous plaît. rewäje'moa (dö'mẽ ma'tẽ) a ... ör, ßil wu plä.

Wir reisen morgen ab.
Nous partons demain. nu par'tõ dö'mẽ.

Machen Sie bitte die Rechnung fertig.
Préparez-nous la note, s'il vous plaît. prepare'nu la nɔt, ßil wu plä.

Es war sehr schön hier.
Nous avons passé un séjour très agréable. nus‿a'wõ pa'ße ẽ ße'schur träs‿agre'ablö.

Kann ich mein Gepäck noch bis ... Uhr hierlassen?
Est-ce que je peux encore laisser mes bagages ici jusqu'à ... heures ? äß‿kö schö pö ã'kɔr lä'ße me ba'gasch i'ßi schüßka ... ör?

Rufen Sie bitte ein Taxi.
Appelez-moi un taxi, s'il vous plaît. aple'moa ẽ ta'kßi, ßil wu plä.

Ferienwohnung

Wir haben die Wohnung ... gemietet.
Nous avons loué l'appartement ... nus‿a'wõ lu'e lapartö'mã ...

Je pourrais avoir votre bon de réservation ?
Dürfte ich bitte Ihren Gutschein haben?

Wo bekommen wir die Schlüssel?
Où pouvons-nous prendre les clés ? u puwõ'nu 'prãdrö le kle?

Könnten wir bitte noch (zusätzliche) *Bettwäsche / Geschirrtücher* bekommen?
Nous pourrions avoir *des draps / des torchons* (en plus) ? nu pu'rjõs‿a'woar *de dra / de tɔr'schõ* (ã plüß)?

Wo ist der Sicherungskasten?	**Où se trouvent les fusibles ?** u ßö truw le fü'siblö?
Könnten Sie uns bitte erklären, wie … funktioniert?	**Vous pourriez nous expliquer comment fonctionne …, s'il vous plaît ?** wu pu'rje nus‿äkßpli'ke kɔ'mã fõk'ßjɔn …, ßil wu plä?
– die Spülmaschine – der Herd – die Waschmaschine	**– le lave-vaisselle** lö law wä'ßäl **– la cuisinière** la küisi'njär **– la machine à laver** la ma'schin‿a la'we
Wohin kommt der Müll?	**Où devons-nous déposer les ordures ?** u döwõ'nu depo'se les‿ɔr'dür?
Könnten Sie uns bitte sagen, wo *eine Bäckerei / die nächste Bushaltestelle* ist?	**Pouvez-vous nous dire où il y a *une boulangerie / l'arrêt de bus le plus proche* ?** puwe'wu nu dir u il‿ja *ün bulãsch'ri / la'rä dö büß lö plü prɔsch*?
Wo können wir das Auto abstellen?	**Où pouvons-nous garer la voiture ?** u puwõ'nu ga're la woa'tür?

Camping

Dürfen wir auf Ihrem Grundstück zelten?	**Est-ce que nous pouvons camper sur votre terrain ?** äß‿kö nu pu'wõ kã'pe ßür 'wɔtrö te'rẽ?
Haben Sie noch Platz für ...?	**Est-ce qu'il y a encore de la place pour... ?** äß‿kil‿ja ä'kɔr dö la plaß pur ...?
Wie hoch ist die Gebühr für ...	**Quel est le tarif pour ...** käl ä lö ta'rif pur ...
– ... Erwachsene und ... Kinder?	**– ... adultes et ... enfants ?** ... a'dült e ... ã'fã?
– einen Pkw mit Wohnwagen?	**– une voiture avec caravane ?** ün woa'tür a'wäk kara'wan?
– ein Wohnmobil?	**– un camping-car ?** ẽ kãping'kar?
– ein Zelt?	**– une tente ?** ün tãt?
Vermieten Sie auch *Bungalows / Wohnwagen*?	**Est-ce que vous louez aussi des *bungalows / caravanes* ?** äß‿kö wu lu'e o'ßi de *bẽga'lo / kara'wan*?
Wir möchten *einen Tag / ... Tage* bleiben.	**Nous voudrions rester *un jour / ... jours*.** nu wudri'jõ räß'te *ẽ schur / ... schur*.
Wo können wir *unser Zelt / unseren Wohnwagen* aufstellen?	**Où pouvons-nous installer *notre tente / notre caravane* ?** u puwõ'nu ẽßta'le *'nɔtrö tãt / 'nɔtrö kara'wan*?
Wo sind die *Waschräume / Toiletten*?	**Où sont les *lavabos / toilettes* ?** u ßõ le *lawa'bo / toa'lät*?
Wo kann ich das Chemieklo entsorgen?	**Où est-ce que je peux vider les toilettes chimiques ?** u äß‿kö schö pö wi'de le toa'lät schi'mik?

Gibt es hier Stromanschluss?	**Vous avez un branchement électrique ?** wus‿a'we ẽ brãsch'mã eläk'trik?
Kann ich hier Gasflaschen *kaufen / umtauschen*?	**Je peux *acheter / échanger* des bouteilles de butane ici ?** schö pö *asch'te / eschã'sche* de bu'täj dö bü'tan i'ßi?

Für weitere Fragen siehe *Ferienwohnung,* Seite 32

Übernachten: weitere Wörter

abreisen	**partir** par'tir
Adapter	**l'adaptateur** ***m*** ladapta'tör
Anzahlung	**l'acompte** ***m*** la'kõt
Appartement	**le studio** lö ßtü'djo
Aschenbecher	**le cendrier** lö ßãdri'je
Aufenthaltsraum	**la salle de réunion** la ßal dö reü'njõ
Aufzug	**l'ascenseur** ***m*** laßã'ßör
Badewanne	**la baignoire** la bä'njoar
Beanstandung	**la réclamation** la reklama'ßjõ
Besen	**le balai** lö ba'lä
Bett	**le lit** lö li
Bettdecke	**la couverture** la kuwär'tür
Bettlaken	**le drap** lö dra
bügeln	**repasser** röpa'ße
Bungalow	**le bungalow** lö bẽga'lo
Camping	**le camping** lö kã'ping
Decke	**la couverture** la kuwär'tür
Doppelbett	**le lit conjugal** lö li kõschü'gal
Dusche	**la douche** la dusch
Einzelbett	**le lit à une place** lö li a ün plaß
Empfang	**la réception** la reßäp'ßjõ
Endreinigung	**le ménage de fin de séjour** lö me'nasch dö fẽ dö ße'schur

Etage	**l'étage** *m* le'tasch
Etagenbetten	**les lits** *m/ pl* **superposés** le li ßüpärpo'se
Ferienhaus	**la maison de vacances** la mä'sõ d‿wa'kãß
Ferienwohnung	**le meublé** lö mö'ble
Fernseher	**la télévision** la telewi'sjõ
Foyer	**le hall d'entrée** lö ol dã'tre
Frühstücksbüfett	**le buffet du petit déjeuner** lö bü'fe dü pö'ti deschö'ne
Frühstücksraum	**la salle du petit déjeuner** la ßal dü pö'ti deschö'ne
Gaskartusche	**la cartouche de gaz** la kar'tusch dö gas
Gaskocher	**le réchaud à gaz** lö re'scho a gas
Geschirr	**la vaisselle** la wä'ßäl
Glas	**le verre** lö wär
Glühbirne	**l'ampoule** *f* lã'pul
Hammer (für Heringe)	**le maillet (pour piquets)** lö ma'jä (pur pi'kä)
Handtuch	**la serviette** la ßär'wjät
Hauptsaison	**la haute saison** la ot ßä'sõ
Hausverwaltung	**la gestion** la schäß'tjõ
Hering	**le piquet (de tente)** lö pi'kä (dö tãt)
Hotel	**l'hôtel** *m* lo'täl
Hotelkärtchen	**la carte de visite de l'hôtel** la 'kart dö wi'sit dö lo'täl
Isomatte	**le tapis de sol** lö ta'pi dö ßɔl
Jugendherberge	**l'auberge** *f* **de jeunesse** lo'bärsch dö schö'näß
Kaffeemaschine	**la cafetière (électrique)** la kaf'tjär (eläk'trik)
Kamin	**la cheminée** la schömi'ne
Kaminholz	**le bois de chauffage** lö boa dö scho'fasch

kaputt	**cassé** ka'ße
Kaution	**la caution** la ko'ßjõ
Kinderbett	**le lit d'enfant** lö li dã'fã
Kocher	**le réchaud** lö re'scho
Kühlschrank	**le réfrigérateur** lö refrischera'tör
Lampe	**la lampe** la lãp
Leihgebühr	**le prix de la location** lö pri dö la lɔka'ßjõ
Luftmatratze	**le matelas pneumatique** lö mat'la pnöma'tik
Matratze	**le matelas** lö mat'la
Miete	**le loyer** lö loa'je
mieten	**louer** lu'e
Moskitonetz	**la moustiquaire** la mußti'kär
Moskitospirale	**la spirale anti-moustiques** la ßpi'ral ãtimuß'tik
Mülleimer	**la poubelle** la pu'bäl
Nachsaison	**la basse saison** la baß ßä'sõ
Notausgang	**la sortie de secours** la ßɔr'ti dö ßö'kur
Putzmittel	**les produits** *m/ pl* **de nettoyage** le prɔ'düi dö netoa'jasch
Rechnung	**la facture** la fak'tür
reservieren	**réserver** resär'we
reserviert	**réservé** resär'we
Rezeption	**la réception** la reßäp'ßjõ
Safe	**le coffre-fort** lö 'kɔfrö fɔr
Schlafsaal	**le dortoir** lö dɔr'toar
Schlafsack	**le sac de couchage** lö ßak dö ku'schasch
Schlüssel	**la clé** la kle
schmutzig	**sale** ßal
Schrank	**l'armoire** *f* lar'moar
Sessel	**le fauteuil** lö fo'töj
Sicherung	**le fusible** lö fü'siblö

Spannung, elektrische	**le voltage** lö wɔl'tasch
Spiegel	**la glace** la glaß
Steckdose	**la prise (de courant)** la pris (dö ku'rã)
Stecker	**la fiche** la fisch
Stuhl	**la chaise** la schäs
Swimmingpool	**la piscine** la pi'ßin
Telefon	**le téléphone** lö tele'fɔn
Terrasse	**la terrasse** la tä'raß
Tisch	**la table** la 'tablö
Toilette	**les toilettes** *f/ pl* le toa'lät
Toilettenpapier	**le papier hygiénique** lö pa'pje ischje'nik
Trinkwasser	**l'eau** *f* **potable** lo pɔ'tablö
Ventilator	**le ventilateur** lö wãtila'tör
Verlängerungskabel	**la rallonge électrique** la ra'lõsch‿eläk'trik
Verlängerungswoche	**la semaine supplémentaire** la ßö'män ßüplemã'tär
Voranmeldung	**la réservation** la resärwa'ßjõ
Vorsaison	**l'avant-saison** *f* lawãßä'sõ
Waschbecken	**le lavabo** lö lawa'bo
waschen	**laver** la'we
Wäschetrockner	**le sèche-linge** lö ßäsch lẽsch
Waschmaschine	**la machine à laver** la ma'schin‿a la'we
Waschmittel	**la lessive** la lä'ßiw
Waschraum	**les lavabos** *m/ pl* le lawa'bo
Wasser	**l'eau** *f* lo
Wasserhahn	**le robinet** lö rɔbi'nä
Wohnmobil	**le camping-car** lö kãping'kar
Wohnwagen	**la caravane** la kara'wan
Zelt	**la tente** la tãt
zelten	**camper** cã'pe
Zimmer	**la chambre** la 'schãbrö

Unterwegs

Welche U-Bahn fährt nach ...?
Quel métro va à ... ?

Wo gibt es die Fahrscheine?
Où est-ce qu'on peut acheter les tickets ?

Fragen nach dem Weg

Entschuldigung, wo ist …?	Pardon, où est …? par'dõ, u ä …?
Wie komme ich *nach/zu* …?	Pour aller à …? pur a'le a …?
Können Sie mir das bitte auf der Karte zeigen?	Vous pouvez me le montrer sur la carte, s'il vous plaît? wu pu'we mö lö mõ'tre ßür la kart, ßil wu plä?
Wie viele Minuten *zu Fuß/mit dem Auto*?	C'est à combien de minutes *à pied/en voiture*? ßät‿a kõ'bjẽ dö mi'nüt‿*a pje/ã woa'tür*?
Ist das die Straße nach …?	C'est bien la route pour …? ßä bjẽ la rut pur …?
Wie komme ich zur Autobahn nach …?	Comment arriver sur l'autoroute pour …? kɔ'mã ari'we ßür loto'rut pur …?

Je suis désolé, je ne sais pas.	Tut mir leid, das weiß ich nicht.
Au prochain *feu/croisement* …	An der nächsten *Ampel/Kreuzung* …
La première rue à gauche.	Die erste Straße links.
La seconde rue à droite.	Die zweite Straße rechts.
Traversez *la place/la rue*.	Überqueren Sie *den Platz/die Straße*.
Vous pouvez prendre *le bus/le métro*.	Sie können *den Bus/die U-Bahn* nehmen.

Orts- und Richtungsangaben

à côté de	neben
à droite	(nach) rechts
à gauche	(nach) links
assez loin	ziemlich weit
croisement *m*	Kreuzung
derrière	hinter
devant	vor
en arrière	zurück
en descendant les escaliers	die Treppen herunter
en face de	gegenüber
en montant les escaliers	die Treppen herauf
feu *m*	Ampel
ici	hier
là-bas	dort
par ici	hier entlang
par là	dort hinten
pas loin	nicht weit
près de	nahe bei
rue *f*	Straße
tout droit	geradeaus
virage *m*	Kurve

Gepäck

Ich möchte mein Gepäck hierlassen.
Je voudrais laisser mes bagages ici.
schö wu'drä lä'ße me ba'gasch i'ßi.

Ich möchte mein Gepäck abholen.
Je voudrais retirer mes bagages.
schö wu'drä röti're me ba'gasch.

Mein Gepäck ist (noch) nicht angekommen.
Mes bagages ne sont pas (encore) arrivés. me ba'gasch nö ßõ pas (ã'kɔr) ari'we.

Wo ist mein Gepäck?
Où sont mes bagages?
u ßõ me ba'gasch?

Mein Koffer ist beschädigt worden.
Ma valise a été abîmée.
ma wa'lis a e'te abi'me.

An wen kann ich mich wenden?
A qui est-ce que je peux m'adresser? a ki äß‿kö schö pö madrä'ße?

Flugzeug

Wo ist der Schalter der Fluggesellschaft ...?
Où est le guichet de la compagnie aérienne ...? u ä lö gi'schä dö la kõpa'nji ae'rjän ...?

Wie viel kostet ein Flug nach ...?
Combien coûte un vol pour ...?
kõ'bjẽ kut ẽ wɔl pur ...?

Bitte ein Flugticket ...
Un billet ..., s'il vous plaît.
ẽ bi'jä ..., ßil wu plä.

- einfach. — **aller simple** a'le 'ßẽplö
- hin und zurück. — **aller-retour** a'le rö'tur
- Businessclass. — **en classe affaires** ã klaß a'fär

Ich hätte gerne einen *Fensterplatz / Gangplatz.*	**Je voudrais une place** ***côté fenêtre / côté couloir.*** schö wu'drä ün plaß *ko'te fö'nätrö / ko'te ku'loar.*
Ich möchte meinen Flug ...	**Je voudrais ... mon vol.** schö wu'drä ... mõ wɔl.
– rückbestätigen lassen.	– **reconfirmer** rökõfir'me
– stornieren.	– **annuler** anü'le
– umbuchen.	– **modifier** mɔdi'fje

Flugzeug: weitere Wörter

Abflug	**le départ** lö de'paɪ
Ankunft	**l'arrivée** *f* lari'we
Anschlussflug	**la correspondance** la kɔräßpõ'dãß
Ausgang	**la sortie** la ßɔr'ti
Bordkarte	**la carte d'embarquement** la kart dãbarkö'mã
Flughafen	**l'aéroport** *m* laerɔ'pɔr
Flughafenbus	**la navette (d'aéroport)** la na'wät (daerɔ'pɔr)
Flughafengebühr	**la taxe d'aéroport** la takß daerɔ'pɔr
Flugzeit	**la durée du vol** la dü're dü wol
Flugzeug	**l'avion** *m* la'wjõ
Landung	**l'atterrissage** *m* lateri'ßasch
Pilot	**le pilote** lö pi'lɔt
Rückflug	**le vol de retour** lö wɔl dö rö'tur
Schalter	**le guichet** lö gi'schä
Spucktüte	**le sachet en cas de nausée** lö ßa'schä ã ka dö no'se
Steward	**le steward** lö ßti'wart
Stewardess	**l'hôtesse de l'air** *f* lo'täß dö lär
Ticket	**le billet** lö bi'jä
Verspätung	**le retard** lö rö'tar
Zwischenlandung	**l'escale** *f* läß'kal

Zug

Auskunft und Fahrkarten

Wo finde ich die *Gepäckaufbewahrung / Schließfächer*?	**Où est la *consigne / consigne automatique*?** u ä la *kõ'ßinj / kõ'ßinj ɔtɔma'tik*?

info Der TGV (**Train à grande vitesse**) entspricht ungefähr dem deutschen ICE. Er ist *zuschlagpflichtig* (**train à supplément**) und *platzkartenpflichtig* (**réservation obligatoire**). Reservierungen sind hier also erforderlich.

Wann fährt ein Zug nach ...?	**Quand y a-t-il un train pour ...?** kã ja'til ẽ trẽ pur ...?
Wann fährt der nächste Zug nach ...?	**A quelle heure part le prochain train pour ...?** a käl‿ör par lö prɔ'schẽ trẽ pur ...?
Wann ist er in ...?	**A quelle heure arrive-t-il à ...?** a käl‿ör a'riw‿til a ...?
Muss ich umsteigen?	**Je dois changer?** schö doa schã'sche?
Von welchem Gleis fährt der Zug nach ... ab?	**De quel quai part le train pour ...?** dö käl kä par lö trẽ pur ...?
Was kostet eine Fahrkarte nach ...?	**Combien coûte un billet pour ...?** kõ'bjẽ kut ẽ bi'jä pur ...?
Gibt es eine Ermäßigung für ...?	**Est-ce qu'il y a une réduction pour ...?** äß‿kil‿ja ün redük'ßjõ pur ...?
Ist dieser Zug zuschlagpflichtig?	**Est-ce que ce train est à supplément?** äß‿kö ßö trẽ ät‿a ßüple'mã?

Nach ... bitte eine Karte ...	**Pour ..., s'il vous plaît, un billet ...** pur ..., ßil wu plä, ẽ bi'jä ...
– einfach.	**– aller simple.** a'le 'ßẽplö.
– hin und zurück.	**– aller-retour.** a'le rö'tur.
– für Kinder.	**– pour enfants.** pur ã'fã.
Bitte eine Platzkarte für den Zug um ... Uhr nach ...	**Une réservation sur le train de ... pour ..., s'il vous plaît.** ün resärwa'ßjõ ßür lö trẽ dö ... pur ..., ßil wu plä.
Ich hätte gerne einen Platz ...	**J'aimerais avoir une place ...** schäm'rä a'woar ün plaß ...
– im Großraumwagen.	**– dans une voiture (sans compartiments).** dãs_ün woa'tür (ßã kõparti'mã).
– im Abteil.	**– dans un compartiment.** dãs_ẽ kõparti'mã.
– am Fenster.	**– à côté de la fenêtre.** a ko'te dö la fö'nätrö.
– am Gang.	**– près du couloir.** prä dü ku'loar.
– für Nichtraucher.	**– en non-fumeurs.** ã nõfü'mör.
– für Raucher.	**– en fumeurs.** ã fü'mör.
Kann man im Zug etwas zu essen und zu trinken kaufen?	**Est-ce qu'on peut acheter quelque chose à manger et à boire dans le train ?** äß_kõ pö asch'te kälkö schos_a mã'sche e a boar dã lö trẽ?
Ich möchte mein Fahrrad mitnehmen.	**Je voudrais emporter mon vélo.** schö wu'drä ãpɔr'te mõ we'lo.

info In Frankreich müssen Sie die Fahrkarte vor Fahrtbeginn immer entwerten. *Entwerter* **composteurs** stehen am Eingang zu den Bahnsteigen.

reserviert	**réservé** resär'we
Schaffner	**le contrôleur** lö kõtro'lör
Schlafwagen	**le wagon-lit** lö wagõ'li
Schließfächer	**les casiers** ***m/ pl*** le ka'sje
Speisewagen	**le wagon-restaurant** lö wa'gõ räßto'rã
umsteigen	**changer de train** schã'sche dö trẽ
Waggon	**la voiture** la woa'tür
Zuschlag	**le supplément** lö ßüple'mã

Überlandbus

Wie komme ich zum Busbahnhof?
Comment est-ce que je peux faire pour aller à la gare routière ? kɔ'mã äß‿kö schö pö fär pur a'le a la gar ru'tjär?

Wann fährt der nächste Bus nach … ab?
Quand part le prochain car pour … ? kã par lö prɔ'schẽ kar pur …?

Bitte *eine Karte / zwei Karten* nach …
***Un ticket / Deux tickets* pour …, s'il vous plaît.** *ẽ ti'kä / dö ti'kä* pur …, ßil wu plä.

Wie lange haben wir Aufenthalt?
Combien de temps dure l'arrêt ? kõ'bjẽ dö tã dür la'rä?

Wie lange dauert die Fahrt?
Combien de temps dure le voyage ? kõ'bjẽ dö tã dür lö woa'jasch?

Ist … die Endhaltestelle?
Est-ce que … est le terminus ? äß‿kö … ä lö tärmi'nüß?

Sagen Sie mir bitte, wo ich aussteigen muss?
Pouvez-vous me dire où je dois descendre ? puwe'wu mö dir u schö doa de'ßãdrö?

Schiff

Auskunft und Buchung

Wann fährt *das nächste Schiff / die nächste Fähre* nach … ab?	**Quand part *le prochain bateau / le prochain ferry* pour … ?** kã par *lö prɔ'schẽ ba'to / lö prɔ'schẽ fe'ri* pur …?
Wie lange dauert die Überfahrt nach …?	**Combien de temps dure la traversée pour … ?** kõ'bjẽ dö tã dür la trawär'ße pur …?
Wann legen wir in … an?	**Quand est-ce qu'on accoste à … ?** kãt‿äß‿kõn‿a'kɔßt‿a …?
Wann müssen wir an Bord sein?	**Quand devons-nous être à bord ?** kã döwõ'nu ätr‿a bɔr?
Ich möchte eine Schiffskarte *erster Klasse / Touristenklasse* nach …	**Je voudrais un billet de bateau en *première classe / classe touriste* pour …** schö wu'drä ẽ bi'jä dö ba'to ã *prö'mjär klaß / klaß tu'rißt* pur …
Ich möchte …	**Je voudrais …** schö wu'drä …
– eine Einzelkabine.	**– une cabine individuelle.** ün ka'bin ẽdiwidü'äl.
– eine Zweibettkabine.	**– une cabine à deux places.** ün ka'bin‿a dö plaß.
– eine Außenkabine.	**– une cabine extérieure.** ün ka'bin äkßte'rjör.
– eine Innenkabine.	**– une cabine intérieure.** ün kabin ẽte'rjör.
Ich möchte eine Karte für die Rundfahrt um … Uhr.	**Je voudrais un billet pour l'excursion de … heures.** schö wu'drä ẽ bi'jä pur läkßkür'ßjõ dö … ör.

info Französische Autobahnen sind gebührenpflichtig. Sie zahlen die Gebühr an der *(automatischen) Mautstelle* **péage (automatique)**. Vor dem Erreichen der Mautstelle können Sie bereits erste Schilder lesen: **«Péage. Préparez votre monnaie.»** – *Mautstelle. Halten Sie Ihr Kleingeld bereit.* Wenn Sie kein passendes Kleingeld haben, ordnen Sie sich in der Spur ein, die mit **«Usagers sans monnaie»** – *Benutzer ohne Kleingeld* gekennzeichnet ist.

Welchen Treibstoff braucht das Auto?	**Quelle sorte de carburant est-ce que la voiture consomme ?** käl ßɔrt dö karbü'rã äß‿kö la woa'tür kõ'ßɔm?
Ist eine Vollkaskoversicherung eingeschlossen?	**L'assurance tous risques est comprise ?** laßü'rãß tu rißk ä kõ'pris?
Kann ich das Auto auch in … abgeben?	**Je peux aussi restituer la voiture à … ?** schö pö o'ßi räßtitü'e la woa'tür a …?
Bis wann muss ich zurück sein?	**A quelle heure est-ce que je dois être de retour ?** a käl‿ör äß‿kö schö doa 'ätrö dö rö'tur?
Bitte geben Sie mir auch einen Sturzhelm.	**Donnez-moi aussi un casque (de protection), s'il vous plaît.** dɔne'moa o'ßi ẽ kaßk (dö prɔtäk'ßjõ), ßil wu plä.

info Die **RN (route nationale)** entspricht in etwa der Bundesstraße, die **RD (route départementale)** einer Landstraße. Innerhalb einer geschlossenen Ortschaft dürfen Sie 50 km/h fahren; auf Landstraßen ohne Mittelstreifen sind 90 km/h, auf Landstraßen mit Planke oder Mittelstreifen 110 km/h erlaubt. Auf Stadtautobahnen dürfen Sie bis zu 110 km/h, auf anderen Autobahnen 130 km/h fahren.

An der Tankstelle

Wo ist die nächste Tankstelle?	**Où se trouve la station-service la plus proche ?** u ßö truw la ßta'ßjõ ßär'wiß la plü prɔsch?
Bitte volltanken.	**Le plein, s'il vous plaît.** lö plẽ, ßil wu plä.
Bitte für … Euro …	**Pour … euro …, s'il vous plaît.** pur … ö'ro …, ßil wu plä.
– Benzin bleifrei.	**– d'ordinaire sans plomb.** dɔrdi'när ßã plõ.
Super bleifrei.	**– de super sans plomb.** dö ßü'pär ßã plõ.
– Super verbleit	**– de super avec plomb.** dö ßü'pär a'wäk plõ.
– Diesel.	**– de gazole.** dö ga'sɔl.
Ich möchte *1 Liter / 2 Liter* Öl.	**Je voudrais *1 litre / 2 litres* d'huile.** schö wu'drä *ẽ 'litrö / dö 'litrö* düil.
Bitte einen Ölwechsel.	**Une vidange, s'il vous plaît.** ün wi'dãsch, ßil wu plä.

Panne

Ich habe kein Benzin mehr.	**Je suis en panne sèche.** schö ßüis‿ã pan ßäsch.
Ich habe eine *Reifenpanne / Motorpanne.*	**J'ai *un pneu crevé / une panne de moteur.*** schä *ẽ pnö krö'we / ün pan dö mɔ'tör.*
Können Sie mir Starthilfe geben?	**Est-ce que vous pouvez m'aider à démarrer la voiture ?** äß‿kö wu pu'we mä'de a dema're la woa'tür?

Könnten Sie ...	**Est-ce que vous pourriez ...** äß‿kö wu pu'rje ...
– mich ein Stück mitnehmen?	**– m'emmener un bout de chemin?** mãm'ne ẽ bu d‿schö'mẽ?
– meinen Wagen abschleppen?	**– remorquer ma voiture?** römɔr'ke ma woa'tür?
– mir einen Abschleppwagen schicken?	**– m'envoyer la dépanneuse?** mãwoa'je la depa'nös?

Werkzeug und Flickzeug

Draht	**le fil métallique** lö fil meta'lik
Kabel	**le câble** lö 'kablö
Kreuzschlüssel	**le clefen croix** la kle ã kroa
Schmirgelpapier	**le papier émeri** lö pa'pje em'ri
Schraube	**la vis** la wiß
Schraubenschlüssel	**la clef à écrous** la kle a e'kru
Schraubenzieher	**le tournevis** lö turnö'wiß
Trichter	**l'entonnoir** ***m*** lãtɔ'noar
Wagenheber	**le cric** lö krik
Werkzeug	**les outils** ***m/ pl*** les‿u'ti
Zange	**la pince** la pẽß

Unfall

Rufen Sie bitte schnell ...	**Vite, appelez ...** wit, ap'le ...
– einen Krankenwagen!	**– une ambulance!** ün‿ãbü'lãß!
– die Polizei!	**– la police!** la pɔ'liß!
– die Feuerwehr!	**– les pompiers!** le põ'pje!
Es ist ein Unfall passiert!	**Il y a eu un accident!** il‿ja ü ẽn‿akßi'dã!

… Personen sind (schwer) verletzt.	**Il y a … blessés (graves).** il‿ja … ble'ße (graw).
Bitte helfen Sie mir.	**Aidez-moi, s'il vous plaît.** äde'moa, ßil wu plä.
Ich brauche Verbandszeug.	**J'ai besoin de pansements.** schä bö'soẽ dö pãß'mã.
Es ist nicht meine Schuld.	**Ce n'est pas de ma faute.** ßö nä pa dö ma fot.
Ich möchte, dass wir die Polizei holen.	**Je voudrais que l'on appelle la police.** schö wu'drä kö lõn‿a'päl la pɔ'liß.
Ich hatte Vorfahrt.	**J'avais la priorité.** scha'wä la priori'te.
Sie sind zu dicht aufgefahren.	**Vous m'avez collé.** wu ma'we kɔ'le.
Sie sind zu schnell gefahren.	**Vous avez roulé trop vite.** wus‿a'we ru'le tro wit.
Bitte geben Sie mir Ihre Versicherung und Ihre Versicherungsnummer.	**Donnez-moi le nom et le numéro de votre assurance, s'il vous plaît.** dɔne'moa lö nõ e lö nüme'ro dö wɔtr‿aßü'rãß, ßil wu plä.

info In Frankreich ist es nicht üblich, bei einem Unfall mit Blechschaden die Polizei zu rufen. Es reicht aus, wenn beide Parteien ein *Unfallprotokoll* (**constat à l'amiable**) mit Skizze ausfüllen und unterschreiben; wenn möglich, geben Sie Namen und Adressen von Zeugen an. Dieses Protokoll schickt man dann seinem Versicherer zu; es ist kein Schuldeingeständnis. Wenn die Parteien sich nicht einigen können, ist es jedoch ratsamer, die Polizei zu rufen.

Bitte geben Sie mir Ihren Namen und Ihre Adresse.	**Donnez-moi votre nom et votre adresse, s'il vous plaît.** dɔne'moa 'wɔtrö nõ e wɔtr‿a'dräß, ßil wu plä.
Können Sie eine Zeugenaussage machen?	**Vous pouvez servir de témoin ?** wu pu'we ßär'wir dö te'moẽ?

In der Werkstatt

Wo ist die nächste Werkstatt?	**Où est le garage le plus proche ?** u ä lö ga'rasch lö plü prɔsch?
Mein Wagen steht *Richtung … / auf der Bundesstraße (Nummer …)*.	**Ma voiture se trouve *en direction de … / sur la nationale (numéro …)*.** ma woa'tür ßö truw *ã diräk'ßjõ dö … / ßür la naßjɔ'nal (nüme'ro …)*.
Können Sie ihn abschleppen?	**Vous pouvez la remorquer ?** wu pu'we la römɔr'ke?
Können Sie mal nachsehen?	**Vous pourriez vérifier, s'il vous plaît ?** wu pu'rje weri'fje, ßil wu plä?
Die Bremse / Der Blinker funktioniert nicht.	***Le frein / Le clignotant* ne fonctionne pas.** *lö frẽ / lö klinjɔ'tã* nö fõk'ßjɔn pa.
Mein Auto springt nicht an.	**Ma voiture ne démarre pas.** ma woa'tür nö de'mar pa.
Die Batterie ist leer.	**La batterie est vide.** la bat'ri ä wid.
Der Motor *klingt merkwürdig / zieht nicht*.	**Le moteur *fait un bruit bizarre / ne tire pas*.** lö mɔ'tör *fä ẽ brüi bi'sar / nö tir pa*.

► *Auto, Motorrad: weitere Wörter,* Seite 56

Kann ich mit dem Auto noch fahren?	**Est-ce que je peux encore rouler avec la voiture ?** äß‿kö schö pö ã'kɔr ru'le a'wäk la woa'tür?
Machen Sie nur die nötigsten Reparaturen.	**Ne faites que les réparations strictement nécessaires.** nö fät kö le repara'ßjõ ßtriktö'mã neße'ßär.
Wie viel wird die Reparatur ungefähr kosten?	**Combien va coûter la réparation, à peu près ?** kõ'bjẽ wa ku'te la repara'ßjõ, a pö prä?
Wann ist es fertig?	**Elle sera prête quand ?** äl ßö'ra prät kã?
Nehmen Sie Schecks vom ...-Schutzbrief?	**Vous acceptez les chèques de mon assurance multirisque ... ?** wus‿akßäp'te le schäk dö mõn‿aßü'rãß mülti'rißk ...?

Auto, Motorrad: weitere Wörter

Abschleppseil	**le câble de remorquage** lö 'kablö dö römɔr'kasch
Achse	**l'essieu** *m* lä'ßjö
Anlasser	**le démarreur** lö dema'rör
Auffahrunfall	**le télescopage** lö teleßkɔ'pasch
Auspuff	**le pot d'échappement** lö po deschap'mã
auswechseln	**changer** schã'sche
Autobahnauffahrt	**la voie d'accès à l'autoroute** la woa da'kßä a loto'rut
Autoschlüssel	**la clé de la voiture** la kle dö la woa'tür
Bremsflüssigkeit	**le liquide des freins** lö li'kid de frẽ
Bremslicht	**le feu de stop** lö fö dö ßtɔp
Dichtung	**le joint** lö schoẽ
Ersatzteil	**la pièce de rechange** la pjäß dö rö'schãsch
fahren	**rouler** ru'le
Feuerlöscher	**l'extincteur** *m* läkßtẽk'tör
Frostschutzmittel	**l'antigel** *m* lãti'schäl
Führerschein	**le permis de conduire** lö pär'mi dö kõ'düir
Gang	**la vitesse** la wi'täß
Getriebe	**la boîte de vitesses** la boat dö wi'täß
Handbremse	**le frein à main** lö frẽ a mẽ
Heizung	**le chauffage** lö scho'fasch
Helm	**le casque** lö kaßk
Hupe	**le klaxon** lö kla'kßõ
(Benzin)kanister	**le jerricane** lö scheri'kan
kaputt	**cassé** ka'ße
Katalysator	**le pot catalytique** lö po katali'tik
Keilriemen	**la courroie** la ku'roa
Kfz-Schein	**la carte grise** la kart gris

Kindersitz	**le siège pour enfant** lö ßjäsch pur ã'fã
Klimaanlage	**la climatisation** la klimatisa'ßjõ
Kotflügel	**l'aile** *f* läl
Kühler	**le radiateur** lö radja'tör
Kühlwasser	**le liquide de refroidissement** lö li'kid dö röfroadiß'mã
Kupplung	**l'embrayage** *m* lãbrä'jasch
Kurve	**le virage** lö wi'rasch
Lack	**la laque** la lak
Landstraße	**la route départementale** la rut departömã'tal
Lenkung	**la direction** la diräk'ßjõ
Licht	**le feu** lö fö
Lichtmaschine	**la dynamo** la dina'mo
Luftfilter	**le filtre à air** lö filtr‿a är
Maut(stelle)	**le péage** lö pe'asch
Motorhaube	**le capot** lö ka'po
Motoröl	**l'huile** *f* **moteur** lüil mɔ'tör
parken	**se garer** ßö ga're
Parkhaus	**le parking couvert** lö par'king ku'wär
Parkplatz	**le parking** lö par'king
Parkscheibe	**le disque horaire** lö dißk‿ɔ'rär
Parkuhr	**le parcmètre** lö park'mätrö
Parkverbot	**l'interdiction** *f* **de stationner** lẽtärdik'ßjõ dö ßtaßjɔ'ne
Rad	**la roue** la ru
Raststätte	**le relais routier** lö rö'lä ru'tje
Reifen	**le pneu** lö pnö
Reifendruck	**la pression des pneus** la prä'ßjõ dä pnö
reparieren	**réparer** repa're
Reservereifen	**la roue de secours** la ru dßö'kur
Rücklicht	**les feux** *m/ pl* **arrière** le fö a'rjär
Rückspiegel	**le rétroviseur** lö retrowi'sör

Schalter	**le bouton** lö bu'tõ
Scheibenwischer	**l'essuie-glace** *m* leßüi'glaß
Scheibenwischer-blätter	**les balais** *m/ pl* **d'essuie-glace** le ba'lä dä'ßüi glaß
Scheinwerfer	**le phare** lö far
Schiebedach	**le toit ouvrant** lö toa u'wrã
Schneeketten	**les chaînes** *f/ pl* **à neige** le schän a näsch
Schutzbrief	**le contrat multirisque de garantie automobile** lö kõ'tra mülti'rißk dö garã'ti otomo'bil
Sicherheitsgurt	**la ceinture de sécurité** la ßẽ'tür dö ßeküri'te
Sicherung	**le fusible** lö fü'siblö
Spiegel	**le miroir** lö mi'roar
Starter	**le démarreur** lö dema'rör
Starthilfekabel	**les câbles de démarrage** le 'kablö dö dema'rasch
Stoßdämpfer	**l'amortisseur** *m* lamɔrti'ßör
Stoßstange	**le pare-chocs** lö par'schɔk
Tachometer	**le compteur de vitesse** lö kõ'tör dö wi'täß
Unfallprotokoll	**le constat à l'amiable** lö kõß'ta a la'mjablö
Ventil	**la valve** la 'walwö
Verbandskasten	**la boîte de premiers secours** la boat dö prö'mje ßö'kur
Vergaser	**le carburateur** lö karbüra'tör
Versicherungskarte, grüne	**la carte verte** la kart 'wärtö
Warndreieck	**le triangle de signalisation** lö tri'ãglö dö ßinjalisa'ßjõ
Zündkerze	**la bougie** la bu'schi
Zündung	**l'allumage** *m* lalü'masch
Zusammenstoß	**le tamponnement** lö tãpɔn'mã

Öffentlicher Nahverkehr

Wo ist …	**Où est …** u ä …
– die nächste U-Bahn-Station?	**– la station de métro la plus proche ?** la ßta'ßjõ dö me'tro la plü prɔsch?
– die nächste Bushaltestelle?	**– l'arrêt de bus le plus proche ?** la'rä dö büß lö plü prɔsch?
– die nächste Straßenbahnhaltestelle?	**– l'arrêt de tramway le plus proche ?** la'rä dö tra'muä lö plü prɔsch?
Wo hält *der Bus / die Straßenbahn* nach …?	**Où se trouve l'arrêt du *bus / tramway* pour … ?** u ßö truw la'rä dü *büß / tra'muä* pur …?
Welcher Bus / Welche U-Bahn fährt nach …?	***Quel bus / quel métro* va à … ?** *käl büß / käl me'tro* wa a …?
Le bus numéro …	Der Bus Nummer …
La ligne de métro numéro …	Die U-Bahn-Linie Nummer …
Wann fährt *der nächste Bus / die nächste Straßenbahn* nach …?	**A quelle heure part *le prochain bus / le prochain tramway* pour … ?** a käl‿ör par *lö prɔ'schẽ büß / lö pro'schẽ tra'muä* pur …?
Wann fährt der letzte Bus?	**Quand part le dernier bus ?** kã par lö där'nje büß?
Fährt dieser Bus nach …?	**Est-ce que ce bus va à … ?** äß‿kö ßö büß wa a …?
Muss ich nach … umsteigen?	**Pour …, est-ce que je dois changer ?** pur …, äß‿kö schö doa schã'sche?

Sagen Sie mir bitte, wo ich *aussteigen / umsteigen* muss?

Pouvez-vous me dire où je dois *descendre / changer*? puwe'wu mö dir u schö doa *de'ßãdrö / schã'sche*?

Wo gibt es die Fahrscheine?

Où est-ce qu'on peut acheter les tickets? u äß‿kõ pö asch'te le ti'kä?

Bitte einen Fahrschein nach …

Un ticket pour …, s'il vous plaît. ẽ ti'kä pur …, ßil wu plä.

Gibt es …

Il y a … il‿ja …

- Tageskarten?
  – des tickets pour la journée? de ti'kä pur la schur'ne?
- Mehrfahrtenkarten?
  – des carnets? de kar'nä?
- Wochenkarten?
  – des cartes hebdomadaires? de kart äbdɔma'där?

Taxi

Wo bekomme ich ein Taxi?

Où est-ce que je peux avoir un taxi ? u äß‿kö schö pö a'woar‿ẽ ta'kßi?

Könnten Sie mir für (morgen um) ... Uhr ein Taxi bestellen?

Vous pourriez m'appeler un taxi pour (demain à) ... heures ? wu pu'rje map'le ẽ ta'kßi pur (dö'mẽ a) ... ör?

Bitte ...

..., s'il vous plaît. ..., ßil wu plä.

- zum Bahnhof! – **A la gare** a la gar
- zum Flughafen! – **A l'aéroport** a laerɔ'pɔr
- zum Hotel ...! – **A l'hôtel ...** a lo'täl ...
- in die Innenstadt! – **Au centre ville** o 'ßãtrö wil
- in die ... Straße! – **Rue ...** rü ...

Wie viel kostet es nach ...?

Combien ce sera pour aller à ... ? kõ'bjẽ ßö ßö'ra pur a'le a ...?

Man hat mir (im Hotel) gesagt, dass es nur ... Euro kostet.

On m'a dit (à l'hôtel) que ça ne coûte que ... euros. õ ma di (a lo'täl) kö ßa nö kut kö ... ö'ro.

Bitte schalten Sie den Taxameter *ein / auf null*.

Mettez votre compteur *en marche / sur zéro*, s'il vous plaît. mä'te 'wɔtrö kõ'tör *ã marsch / ßür se'ro*, ßil wu plä.

Warten / Halten Sie hier bitte (einen Augenblick)!

***Attendez / Arrêtez-vous* (un instant) ici, s'il vous plaît !** *atã'de / aräte'wu* (ẽn‿ẽß'tã) i'ßi, ßil wu plä!

Das Wechselgeld ist für Sie!

Gardez la monnaie ! gar'de la mɔ'nä!

Bus, Bahn, Taxi: weitere Wörter

Abfahrt	**le départ** lö de'par
Busbahnhof	**la gare routière** la gar ru'tjär
Endstation	**le terminus** lö tärmi'nüß
Entwerter	**le composteur** lö kõpɔß'tör
Fahrer	**le chauffeur** lö scho'för
Fahrkarte	**le ticket** lö ti'kä
Fahrkartenautomat	**le distributeur automatique de tickets** lö dißtribü'tör ɔtɔma'tik dö ti'kä
Fahrplan	**l'horaire** *m* lɔ'rär
Fahrpreis	**le prix du ticket** lö pri dü ti'kä
halten	**s'arrêter** ßarä'te
Haltestelle	**l'arrêt** *m* la'rä
Richtung	**la direction** la diräk'ßjõ
S-Bahn	**le RER** lö ärö'är
Schaffner	**le contrôleur** lö kõtro'lör
Stadtzentrum	**le centre-ville** lö 'ßãtrö wil
Taxistand	**la station de taxis** la ßta'ßjõ dö ta'kßi

Per Anhalter

Fahren Sie nach ...?

Est-ce que vous allez à ... ? äß‿kö wus‿a'le a ...?

Können Sie mich (ein Stück) mitnehmen?

Vous pouvez m'emmener (un bout de chemin) ? wu pu'we mãm'ne (ẽ bu d‿schö'mẽ)?

Bitte lassen Sie mich hier aussteigen.

Laissez-moi descendre ici, s'il vous plaît. läße'moa de'ßãdr i'ßi, ßil wu plä.

Vielen Dank fürs Mitnehmen.

Merci beaucoup de m'avoir emmené. mär'ßi bo'ku dö ma'woar ãm'ne.

Reisen mit Kindern

Haben Sie ein Kindermenü?
Avez-vous un menu enfants ?

Wo ist hier ein Wickelraum?
Où se trouve l'espace bébé ?

Häufige Fragen

Gibt es eine Ermäßigung für Kinder?
Vous faites une réduction pour les enfants ? wu fät ün redük'ßjõ pur les‿ã'fã?

Bis / Ab wie viel Jahren?
***Jusqu'à / A partir de* quel âge ?** *schüßka / a par'tir dö* käl asch?

Bitte *Eintrittskarten / Fahrkarten* für zwei Erwachsene und zwei Kinder.
Deux *entrées / billets* pour adultes et deux pour enfants, s'il vous plaît. dö *s‿ã'tre / bi'je* pur a'dült e dö pur ã'fã, ßil wu plä.

Gibt es hier einen Kinderspielplatz?
Il y a un terrain de jeu pour enfants ici ? il‿ja ẽ te'rẽ dö schö pur ã'fã i'ßi?

Wie alt ist Ihr Kind?
Votre enfant a quel âge ? wɔtr‿ã'fã a käl asch?

Meine Tochter / Mein Sohn ist … Jahre alt.
***Ma fille / Mon fils* a … ans.** *ma fij / mõ fiß* a … ã.

Wo ist hier ein Wickelraum?
Où se trouve l'espace bébé ? u ßö truw läß'paß be'be?

Wo können wir … kaufen?
Où peut-on acheter … u pöt‿õ asch'te …

– Babynahrung
– de l'alimentation pour bébés ? dö lalimãta'ßjõ pur be'be?

– Kinderkleidung
– des vêtements pour enfants ? de wät'mã pur ã'fã?

– Windeln
– des couches ? de kusch?

Haben Sie spezielle Angebote für Kinder?
Avez-vous des promotions spéciales pour les enfants ? awe'wu de prɔmo'ßjõ ßpe'ßjal pur les‿ã'fã?

Haben Sie *ein kleines Mädchen / einen kleinen Jungen* gesehen?
Avez-vous vu *une petite fille / un petit garçon*? awe'wu wü *ün pö'tit fij / ẽ pö'ti gar'ßõ?*

In Verkehrsmitteln

Gibt es ein Kinderabteil?
Il y a un compartiment pour enfants? il‿ja ẽ kõparti'mã pur ã'fã?

Haben Sie für den Leihwagen auch einen Kinderautositz?
Avez-vous aussi un siège pour enfants dans la voiture de location? awe'wu o'ßi ẽ ßjäsch pur ã'fã dã la woa'tür dö lɔka'ßjõ?

Kann ich einen Kinderfahrradsitz ausleihen?
Je peux louer un siège à vélo pour enfants? schö pö lu'e ẽ ßjäsch‿a we'lo pur ã'fã?

Bis zu welchem Alter fahren Kinder umsonst?
Jusqu'à quel âge le trajet est-il gratuit pour les enfants? schüßka käl asch lö tra'schä ät‿il gra'tüi pur les‿ã'fã?

Im Hotel

Könnten Sie ein Kinderbett aufstellen?
Pourriez-vous installer un lit d'enfant? purje'wu ẽßta'le ẽ li dã'fã?

Gibt es eine Kinderbetreuung?
Peut-on faire garder les enfants? pö'tõ fär gar'de les‿ã'fã?

Haben Sie ein Unterhaltungsprogramm für Kinder?
Avez-vous un programme d'activités pour les enfants? awe'wu ẽ pro'gram daktiwi'te pur les‿ã'fã?

Im Restaurant

Haben Sie einen Hochstuhl?

Avez-vous une chaise haute pour enfants ? awe'wu ün schäs ot pur ã'fã?

Könnten Sie bitte das Fläschchen aufwärmen?

Pourriez-vous réchauffer le biberon, s'il vous plaît ? purje'wu rescho'fe lö bib'rõ, ßil wu plä?

Haben Sie ein Kindermenü?

Avez-vous un menu enfant ? awe'wu ẽ mö'nü ã'fã?

Können wir für die Kinder eine halbe Portion bekommen?

Pouvons-nous avoir une demi-portion pour les enfants ? puwõ'nu a'woar‿ün dö'mi pɔr'ßjõ pur les‿ã'fã?

Können wir bitte *ein Extra-Gedeck / einen kleinen Löffel* für unser Kind bekommen?

Pouvons-nous avoir *un couvert supplémentaire / une petite cuillère* pour notre enfant, s'il vous plaît ? puwõ'nu a'woar *ẽ ku'wär ßüplemã'tär / ün pö'tit küi'jär* pur nɔtr‿ã'fã, ßil wu plä?

Vergnügungen

Ist es für Kinder gefährlich?

C'est dangereux pour les enfants ? ßä dãsch'rö pur les‿ã'fã?

Gibt es *Schwimm-unterricht / eine Skischule* für Kinder?

Il y a des cours de *natation / ski* pour enfants ? il‿ja de kur dö *nata'ßjõ / ßki* pur ã'fã?

Gibt es auch ein Kinderbecken?

Il y a aussi un bassin pour enfants ? il‿ja o'ßi ẽ ba'ßẽ pur ã'fã?

Kinderbetreuung

Können Sie uns einen verlässlichen Babysitter empfehlen?

Pouvez-vous nous recommander une babysitter sérieuse ? puwe'wu nu rökɔmã'de ün bebißi'tör ße'rjös?

Ab wie viel Jahren gibt es eine Kinderbetreuung?

A partir de quel âge il y a une prise en charge des enfants ? a par'tir dö käl asch il‿ja ün pris‿ã scharsch des‿ã'fã?

Gesundheit

Können Sie mir *einen Kinderarzt / ein Kinderkrankenhaus* empfehlen?

Pouvez-vous me recommander *un pédiatre / un hôpital pour enfants* ? puwe'wu mö rökɔmã'de *ẽ pe'djatrö / ẽn‿ɔpi'tal pur ã'fã?*

Mein Kind ist allergisch gegen Milchprodukte.

Mon enfant est allergique aux produits laitiers. mõn‿ã'fã ät‿alär'schik o prɔ'düi lä'tje.

► *Krankheiten und Beschwerden,* Seite 187

Reisen mit Kindern: weitere Wörter

Allergie	**l'allergie** *f* lalär'schi
Ausschlag	**l'eczéma** *m* lägse'ma
Babyfläschchen	**le biberon** lö bib'rõ
Babyfon	**l'interphone** *m* **de surveillance pour bébés** lẽtär'fɔn dö ßürwä'jãß pur be'be
Babypuder	**le talc** lö talk
Fläschchenwärmer	**le chauffe-biberon** lö schof bib'rõ
Impfpass	**le carnet de vaccinations** lö kar'nä dö wakßina'ßjõ
Insektenstich	**la piqûre d'insecte** la pi'kür dẽ'ßäktö
Kindersicherheitsgurt	**la ceinture de sécurité pour enfants** la ßẽ'tür dö ßeküri'te pur ã'fã
Kinderteller	**l'assiette** *f* **pour enfants** la'ßjät pur ã'fã
Kinderwagen	**la poussette** la pu'ßät
Kinderzuschlag	**le supplément pour enfants** lö ßüple'mã pur ã'fã
Laufstall	**le parc** lö park
Mückenschutz	**la protection contre les moustiques** la prɔtäk'ßjõ 'kõtrö le muß'tik
Sauger	**la tétine** la te'tin
Schirmmütze	**la casquette à visière** la kaß'kät‿a wi'sjär
Schnuller	**la sucette** la ßü'ßät
Schwimmflügel	**le brassard** lö bra'ßar
Spielplatz	**le terrain de jeux** lö te'rẽ dö schö
Spielzeug	**le jouet** lö schu'ä
Wickelkommode	**la table à langer** la tabl‿a lã'sche

Behinderte

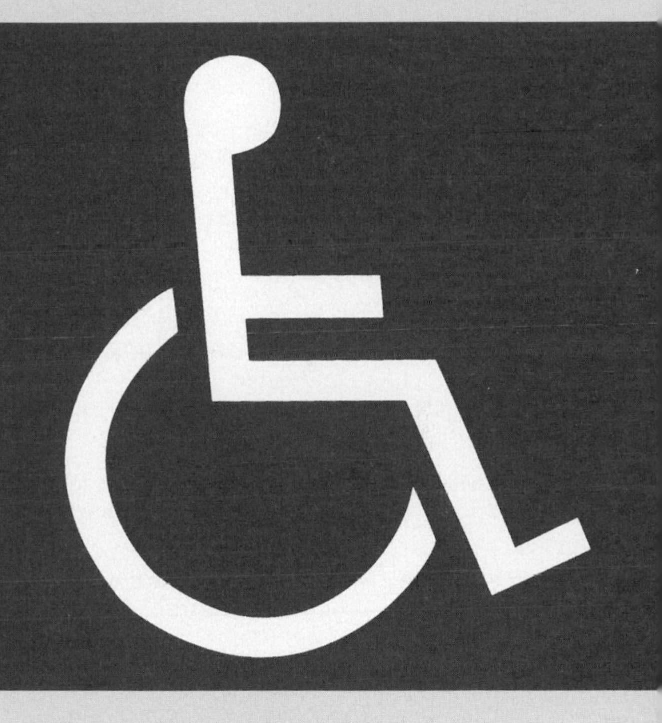

Könnten Sie mir die Tür öffnen?
Vous pourriez m'ouvrir la porte ?

Wo ist der nächste Aufzug?
Où est l'ascenseur le plus proche ?

Um Hilfe bitten

Können Sie mir bitte helfen?
Pouvez-vous m'aider, s'il vous plaît ? puwe'wu mä'de, ßil wu plä?

Ich bin gehbehindert.
Je suis une personne à mobilité réduite. schö ßüis‿ün pär'ßɔn‿a mɔbili'te re'düit.

Ich bin körper-behindert.
Je suis handicapé physique. schö ßüis‿ãdika'pe fi'sik.

Ich bin sehbehindert.
Je suis ♂ malvoyant / ♀ malvoyante. schö ßüi ♂ malwoa'jã / ♀ malwoa'jãt.

Ich bin *hörgeschädigt* / *taub*.
Je suis ♂ *malentendant* / ♀ *malentendante* / ♂ *sourd* / ♀ *sourde*. schö ßüi ♂ *malãtã'dã* / ♀ *malãtã'dãt* / ♂ *ßur* / ♀ *ßurd*.

Ich höre schlecht.
Je n'entends pas bien. schö nã'tã pa bjẽ.

Können Sie bitte lauter reden?
Vous pourriez parler plus fort, s'il vous plaît ? wu pu'rje par'le plü fɔr, ßil wu plä?

Können Sie das bitte aufschreiben?
Vous pouvez me l'écrire ? wu pu'we mö le'krir?

Unterwegs

Ist es für Rollstuhlfahrer geeignet?
Est-ce que c'est aménagé pour recevoir les handicapés en fauteuil roulant ? äß‿kö ßät‿amena'sche pur rößö'woar les‿ãdika'pe ã fo'töj ru'lã?

Gibt es eine Rampe für Rollstuhlfahrer?	**Il y a une rampe pour les fauteuils roulants ?** il‿ja ün rãp pur le fo'töj ru'lã?
Gibt es hier eine Behindertentoilette?	**Il y a des toilettes pour handicapés ici ?** il‿ja de toa'lät pur ãdika'pe i'ßi?
Kann ich meinen (zusammenklappbaren) Rollstuhl mitnehmen?	**Est-ce que je peux emmener mon fauteuil roulant (pliable) ?** äß‿kö schö pö ãm'ne mõ fo'töj ru'lã (pli'jablö)?
Könnten Sie mir bitte beim *Einsteigen / Aussteigen* helfen?	**Vous pourriez m'aider *à descendre / à sortir*, s'il vous plaît ?** wu pu'rje mä'de *a de'ßãdrö / a ßɔr'tir*, ßil wu plä?
Könnten Sie mir bitte die Tür *öffnen / aufhalten*?	**Vous pourriez *m'ouvrir la porte / me tenir la porte ouverte*, s'il vous plaît.** wu pu'rje *mu'wrir la pɔrt / mö tö'nir la pɔrt u'wärt*, ßil wu plä?
Haben Sie einen Platz, wo ich meine Beine ausstrecken kann?	**Avez-vous une place où je pourrais allonger les jambes ?** awe'wu ün plaß u schö pu'rä alõ'sche le schãb?

Im Hotel

Hat das Hotel behindertengerechte Einrichtungen?	**L'hôtel est équipé pour recevoir les handicapés ?** lo'täl ät‿eki'pe pur rößö'woar les‿ãdika'pe?
Gibt es einen *ebenerdigen / stufenlosen* Eingang?	**Il y a une entrée *au niveau du sol / sans marches* ?** il‿ja ün‿ã'tre *o ni'wo dü ßɔl / ßã marsch*?
Haben Sie einen Rollstuhl für mich?	**Avez-vous un fauteuil roulant pour moi ?** awe'wu ẽ fo'töj ru'lã pur moa?

Telefon

Wo kann ich hier telefonieren?	**Où est-ce que je peux téléphoner ici ?** u äß‿kö schö pö telefɔ'ne i'ßi?

info Wenn Sie von Frankreich aus telefonieren möchten, empfiehlt sich der Kauf einer **télécarte** *(Telefonkarte)*, da die meisten öffentlichen Fernsprecher *Kartentelefone* sind (**téléphones à cartes**). **Télécartes** (auch aufladbare Karten für Mobiltelefone, Prepaid-Karten etc.) können Sie bei Postämtern, an Zeitungskiosken und **bureaux de tabac** *(Zigarettenläden)* mit der Aufschrift «**Ici, vente de télécartes**» bekommen. In Frankreich gibt es Telefonkarten zu 25, 50 oder 120 *Einheiten* (**unités**).

Ich hätte gern eine Telefonkarte (zu ... Einheiten).	**Je voudrais une télécarte (à ... unités).** schö wu'drä ün tele'kart (a ... üni'te).
Entschuldigung, ich brauche Münzen zum Telefonieren.	**Excusez-moi, il me faudrait des pièces pour téléphoner.** äkßküse'moa, il mö fo'drä de pjäß pur telefɔ'ne.
Wie ist die Vorwahl von ...?	**Quel est l'indicatif de ... ?** käl ä lẽdika'tif dö ...?
Hallo? Hier ist ...	**Allô ? Je suis ...** a'lo? schö ßüi ...
Ich möchte ... sprechen.	**Je voudrais parler à ...** schö wu'drä par'le a ...
À l'appareil.	Am Apparat.
... n'est malheureusement pas là.	... ist leider nicht da.

Pourrais-je transmettre quelque chose ?	Kann ich etwas ausrichten?
Ne quittez pas.	Ich verbinde.
... est en ligne en ce moment.	... spricht gerade.
Restez en ligne, s'il vous plaît.	Bitte bleiben Sie am Apparat.

info Wenn Sie nach Deutschland telefonieren möchten: Sie wählen die Vorwahl 0049 (für Deutschland), dann die Ortsvorwahl ohne 0 und die gewünschte Rufnummer. Für Österreich lautet die Vorwahl 0043, für die Schweiz wählen Sie die 0041.

Was kostet ein 3-minütiges Gespräch nach Deutschland?	**Combien coûte une communication de trois minutes avec l'Allemagne ?** kõ'bjẽ kut ün kɔmünika'ßjõ dö troa mi'nüt a'wäk lal'manj?
Bitte ein Ferngespräch nach Deutschland.	**Je voudrais appeler l'Allemagne, s'il vous plaît.** schö wu'drä ap'le lal'manj, ßil wu plä.
Bitte ein R-Gespräch.	**Je voudrais faire un appel en PCV.** schö wu'drä fär ẽn‿a'päl ã peße'we.
Prenez la cabine ...	Gehen Sie in Kabine ...
La ligne est occupée.	Die Leitung ist besetzt.
Ça ne répond pas.	Es meldet sich niemand.
Ab wie viel Uhr gilt der Nachttarif?	**Le tarif de nuit est valable à partir de quelle heure ?** lö ta'rif dö nüi ä wa'labl‿a par'tir dö käl‿ör?

Internet-Café

Wo gibt es hier ein Internet-Café?	**Où y a-t-il un cybercafé ici ?** u ja‿til ẽ ßibärka'fe i'ßi?
Ich möchte eine E-Mail senden.	**Je voudrais envoyer un courriel.** schö wu'drä ãwoa'je ẽ kur'jäl.
Welchen Computer kann ich benutzen?	**Quel ordinateur est-ce que je peux utiliser ?** käl ɔrdina'tör äß‿kö schö pö ütili'se?
Was kostet das für eine Viertelstunde?	**Combien ça coûte pour un quart d'heure ?** kõ'bjẽ ßa kut pur ẽ kar dör?
Könnten Sie mir helfen?	**Pourriez-vous m'aider ?** purje'wu mä'de?

E-Mail

annuler	Abmelden
boîte *f* de réception	Posteingang
brouillons *m/ pl*	Entwürfe
écrire	Neue Mail (verfassen)
envoyer	Senden
faire suivre	Weiterleiten
imprimer	Drucken
messages *m/ pl* envoyés	Versendete Mails
nouveau message *m*	Neue Nachrichten
répondre à tous	Antwort an alle
la réponse	Antwort
retour	Zurück
sauvegarder	Speichern
supprimer	Löschen

Essen und Trinken

Die Karte bitte.
La carte, s'il vous plaît.

Haben Sie auch offenen Wein?
Avez-vous aussi du vin en carafe ?

Reservieren und Platz nehmen

info Im café bekommen Sie vor allem Getränke; essen kann man hier Chips, Erdnüsse, Sandwiches, **croque-monsieur** *(Schinken-Käse-Toast)* oder **croque-madame** *(Schinken-Käse-Toast mit Spiegelei)*. Morgens können Sie auch ein französisches Frühstück bekommen: Kaffee, Tee oder Kakao, dazu **croissants** oder **tartines** *(Baguette mit Butter und Marmelade)*.

Im **café-bar** gibt es oft nur ein paar Tische. Meistens steht man an der Bar.

Der **salon de thé** entspricht ungefähr einem deutschen Café; Sie bekommen dort Kaffee und Kuchen, Torten, Tee, Kakao und Eisbecher.

Im **café-restaurant** kann man trinken und/oder essen. Oft gibt es einen separaten Speiseraum. Bedienung und Einrichtung sind einfach, Speisen und Getränke preisgünstig.

Das **bistrot** ist ein kleineres **café**, das meistens viel Atmosphäre hat. In den Pariser **bistrots à vin** können Sie verschiedene Weine kosten; damit Sie das nicht nüchtern tun müssen, gibt es hier auch einige (regionale) Gerichte wie **steaks, boeuf bourguignon** usw.

Wer in Frankreich das Bier vermisst, sollte eine **brasserie** aufsuchen. Bestellen Sie **un demi pression** *(1/4 l Bier vom Fass)* oder **un bock** *(1/8 l)*. Im Gegensatz zum **café** können Sie hier auch ganze Gerichte und Menüs essen. Das **menu brasserie** ist durchaus zu vergleichen mit dem Menü eines **restaurant**. Eine Spezialität ist die **assiette anglaise**, eine Platte mit **charcuterie** *(Aufschnitt)* und **crudités** *(Rohkost)*. Die Einrichtung ist meist ebenso einfach wie die eines **café**: kleine Tische mit Tischdecken und Servietten aus Papier.

Im **café** können Sie sich ruhig zu anderen Gästen an den Tisch setzen. Im **restaurant** ist das nicht üblich: Hier sollten Sie warten, bis die Bedienung Ihnen einen Tisch zuweist.

Wo gibt es hier in der Nähe …	**Où y a-t-il ici …** u ja‿til i'ßi …
– ein Café?	**– un salon de thé ?** ẽ ßa'lõ dö te?
– eine Kneipe?	**– un bistrot ?** ẽ biß'tro?
– ein preiswertes Restaurant?	**– un restaurant pas trop cher ?** ẽ räßto'rã pa tro schär?
– ein typisches Restaurant?	**– un restaurant typique ?** ã räßto'rã ti'pik?
Einen Tisch für … Personen bitte.	**Une table pour … personnes, s'il vous plaît.** ün 'tablö pur … pär'ßɔn, ßil wu plä.
Ich möchte einen Tisch für *zwei / sechs* Personen um … Uhr reservieren.	**Je voudrais réserver une table pour *deux / six* personnes pour … heures.** schö wu'drä resär'we ün 'tablö pur *dö / ßi* pär'ßɔn pur … ör.
Wir haben einen Tisch für … Personen reserviert (auf den Namen …).	**Nous avons réservé une table pour … personnes (au nom de …).** nus‿a'wõ resär'we ün 'tablö pur … pär'ßɔn (o nõ dö …).
Ist dieser *Tisch / Platz* noch frei?	**Est-ce que cette *table / place* est libre ?** äß‿kö ßät *'tablö / plaß* ä 'librö?
Entschuldigung, wo sind hier die Toiletten?	**Pardon, où sont les toilettes, ici ?** par'dõ, u ßõ le toa'lät, i'ßi?

► für die Antwort: *Orts- und Richtungsangaben,* Seite 41

En zone fumeurs ou non-fumeurs ?	Raucher- oder Nichtraucherzone?

Petit déjeuner

Frühstückskarte

café *m* ka'fe	Kaffee
café *m* au lait ka'fe o lä	Milchkaffee
café *m* crème ka'fe kräm	Kaffee mit aufgeschäumter Milch
chocolat *m* chaud schoko'la scho	heiße Schokolade
thé *m* te	Tee
thé *m* au citron te o ßi'trõ	Tee mit Zitrone
croissant *m* kroa'ßã	Croissant
œuf *m*, / *pl:* œufs öf, ö	Ei
œuf *m* à la coque öf a la kɔk	weich gekochtes Ei
œuf *m* brouillé öf bru'je	Rührei
œuf *m* dur öf dür	hart gekochtes Ei

Menu

Speisekarte

Potages et soupes

Suppen

bouillabaisse *f* buja'bäß	südfranzösische Fischsuppe
consommé *m* kõßɔ'me	Kraftbrühe
soupe *f* à l'oignon gratinée ßup‿a lɔ'njõ grati'ne	Zwiebelsuppe mit Croûtons und Käse überbacken
soupe *f* de poisson ßup dö poa'ßõ	Fischsuppe

Hors-d'œuvre

Kalte Vorspeisen

aspic *m* d'anguille aß'pik dã'gij	Aal in Aspik
avocat *m* vinaigrette awɔ'ka winä'grät	Avocado mit Sauce Vinaigrette
bouchée *f* à la reine bu'sche a la rän	Königinpastete
charcuterie *f* scharküt'ri	Aufschnittplatte
cœurs *m/ pl* d'artichauts kör darti'scho	Artischockenherzen
crevettes *f/ pl* krö'wät	Garnelen
crudités *f/ pl* (variées) krüdi'te (wa'rje)	Rohkostteller

foie *m* gras foa gra	Gänseleberpastete
huîtres *f/ pl* 'üitrö	Austern
jambon *m* blanc schã'bõ blã	gekochter Schinken
jambon *m* cru schã'bõ krü	roher Schinken
jambon *m* fumé schã'bõ fü'me	geräucherter Schinken
melon *m* mö'lõ	Melone
paté *m* pa'te	Fleischpastete
pâté *m* de foie gras en croûte pa'te dö foa gra ã krut	Gänseleberpastete im Brotteig
pâté *m* de foie haché fin pa'te dö foa a'sche fẽ	feine Leberwurst
pissenlits *m/ pl* au lard pißã'li o lar	Löwenzahnsalat mit Speck
quiche *f* lorraine kisch lɔ'rän	Lothringer Speckkuchen
rillettes *f/ pl* ri'jät	Schweinefleischpastete im eigenen Fett
salade *f* de concombres ßa'lad dö kõ'kõbrö	Gurkensalat
salade *f* de tomates ßa'lad dö tɔ'mat	Tomatensalat
salade *f* mixte ßa'lad mikßt	gemischter Salat
salade *f* niçoise ßa'lad ni'ßoas	grüner Salat mit Tomaten, Ei, Sardellen und Oliven
saucisson *m* de campagne ßoßi'ßõ dö kã'panj	grobe Leberwurst
saumon *m* fumé ßo'mõ fü'me	Räucherlachs
terrine *f* de canard tä'rin dö ka'nar	Entenpastete
terrine *f* du chef tä'rin dü schäf	Pastete nach Art des Hauses

Entrées

Warme Vorspeisen/Snacks

crêpes *f/ pl* kräp	dünne Pfannkuchen
croque-monsieur *m* krɔkmö'ßjõ	Schinken-Käse-Toast
escargots *m/ pl* äßkar'go	Weinbergschnecken
omelette *f* ɔm'lät	Omelette
omelette *f* au lard ɔm'lät‿o lar	Omelette mit Speck
omelette *f* nature ɔm'lät na'tür	Omelette natur
tarte *f* à l'oignon tart‿a lɔ'njõ	Zwiebelkuchen

Viandes

Fleischgerichte

agneau *m* a'njo	Lamm
bifteck *m* bif'täk	Steak
bœuf *m* böf	Rindfleisch
bœuf *m* bourguignon böf burgi'njõ	Rindergulasch in Rotwein
bœuf *m* mode böf mɔd	Schmorbraten
boudin *m* noir bu'dẽ noar	Blutwurst
cassoulet *m* kaßu'lä	Eintopf aus weißen Bohnen, Gänse- und anderem Fleisch
côte *f* kot	Rippchen, Kotelett
escalope *f* panée äßka'lɔp pa'ne	Wiener Schnitzel
filet *m* de bœuf fi'lä dö böf	Rinderfilet

gigot *m* **d'agneau** schi'go da'njo	Lammkeule
grillade *f* gri'jad	Grillteller
jarret *m* **de veau** scha'rä dö wo	Kalbshaxe
lièvre *m* 'ljäwrö	Hase
mouton *m* mu'tõ	Hammelfleisch
paupiette *f* **(de veau)** po'pjät (dö wo)	Kalbsroulade
pieds *m/ pl* **de cochon** pje dö kɔ'schõ	Schweinsfüße
porc *m* pɔr	Schweinefleisch
quenelles *f/ pl* kö'näl	Fleisch- oder Fischklößchen
ris *m* **de veau** ri dö wo	Kalbsbries
rôti *m* ro'ti	Braten
sauté *m* **de veau** ßo'te dö wo	Kalbsragout
selle *f* **d'agneau** ßäl da'njo	Lammrücken
steak *m* **au poivre** ßtäk o 'poawrö	Pfeffersteak
steak *m* **haché** ßtäk‿a'sche	Hackbraten
tournedos *m* turnö'do	Filetsteak
veau *m* wo	Kalbfleisch

Gibier

Wild

cerf *m* ßär	Hirsch
civet *m* **de marcassin** ßi'wä dö marka'ßẽ	junges Wildschwein in Weinsoße
médaillons *m/ pl* **de chevreuil** meda'jõ dö schö'wröj	Rehmedaillons
sanglier *m* ßãgli'je	Wildschwein

Volaille

Geflügel

blanc *m* de poulet blã dö pu'lä — Hühnerbrust
canard *m* à l'orange ka'nar‿a lɔ'rãsch — Ente mit Orange
confit *m* de canard kõ'fi dö ka'nar — im eigenen Fett eingelegte Entenstücke
coq *m* au vin kɔk‿o wẽ — Hähnchen in Rot- oder Weißweinsoße
pintade *f* pẽ'tad — Perlhuhn
poulet *m* rôti pu'lä ro'ti — Brathähnchen

Poissons

Fisch

anguille *f* ã'gij — Aal
brandade *f* brã'dad — gekochter und pürierter Stockfisch mit Sahne, Olivenöl und Knoblauch angemacht
brochet *m* brɔ'schä — Hecht
cabillaud *m* kabi'jo — Kabeljau
calmars *m/ pl* frits kal'mar fri — gebackene Tintenfischringe
carpe *f* karp — Karpfen
colin *m* ko'lẽ — Seehecht
églefin *m* eglö'fẽ — Schellfisch
friture *f* fri'tür — in Öl oder Fett ausgebackene Fische

hareng *m* saur a'rã ßɔr	Bückling
lotte *f* lɔt	Seeteufel
morue *f* mɔ'rü	Stockfisch
rouget *m* ru'schä	Rotbarbe
saumon *m* ßo'mõ	Lachs
sole *f* ßɔl	Seezunge
thon *m* tõ	Thunfisch
truite *f* au bleu trüit‿o blö	Forelle blau
truite *f* aux amandes et au beurre noir trüit os‿a'mãd e o bör noar	Forelle mit Mandeln und brauner Butter
truite *f* meunière trüit mö'njär	Forelle Müllerin
turbot *m* tür'bo	Steinbutt

Coquillages et crustacés

Muscheln und Schalentiere

coquilles *f/ pl* Saint-Jacques kɔ'kij ßẽ'schak	Jakobsmuscheln
crabe *m* krab	Krabbe
crevette *f* krö'wät	Garnele
écrevisses *f/ pl* ekrö'wiß	Flusskrebse
homard *m* à l'armoricaine ɔ'mar a larmɔri'kän	Hummer in Stücken mit Weißwein
huîtres *f/ pl* 'üitrö	Austern
langouste *f* lã'gußt	Languste
langoustines *f/ pl* lãguß'tin	Scampi
moules *f/ pl* frites mul frit	Miesmuscheln mit Pommes frites
plateau *m* de fruits de mer pla'to dö früi dö mär	Meeresfrüchteplatte

Garnitures

Beilagen

pâtes *f/ pl* pat	Nudeln
pommes *f/ pl* de terre pɔm dö tär	Kartoffeln
pommes *f/ pl* de terre sautées pɔm dö tär ßo'te	Bratkartoffeln
pommes *f/ pl* de terre vapeur pɔm dö tär wa'pör	Salzkartoffeln
pommes *f/ pl* frites pɔm frit	Pommes frites
riz *m* ri	Reis

Légumes

Gemüse

artichauts *m/ pl* arti'scho	Artischocken
asperges *f/ pl* aß'pärsch	Spargel
aubergines *f/ pl* obär'schin	Auberginen
carottes *f/ pl* ka'rɔt	Möhren
champignons *m/ pl* schãpi'njõ	Pilze
champignons *m/ pl* de Paris schãpi'njõ dö pa'ri	Champignons
chou *m* fleur schu flör	Blumenkohl
chou *m* rave schu raw	Kohlrabi
choucroute *f* schu'krut	Sauerkraut
choux *m/ pl* de Bruxelles schu dö brü'kßäl	Rosenkohl
courgettes *f/ pl* kur'schät	Zucchini
endives *f/ pl* ã'diw	Chicorée

épinards *m/ pl* epi'nar	Spinat
fenouil *m* fö'nuj	Fenchel
gratin *m* dauphinois gra'tẽ dofi'noa	Kartoffelauflauf
haricots *m/ pl* blancs ari'ko blã	weiße Bohnen
haricots *m/ pl* verts ari'ko wär	grüne Bohnen
macédoine *f* de légumes maße'doan dö le'güm	gemischtes Gemüse
navets *m/ pl* na'wä	weiße Rübchen
petits pois *m/ pl* pö'ti poa	Erbsen
poivron *m* poa'wrõ	Paprika
ratatouille *f* rata'tuj	Gemüse aus Tomaten, Paprika, Auberginen usw.

Le mode de préparation

Zubereitungsarten

à la broche a la brɔsch	am Spieß
(cuit) à la vapeur (küi) a la wa'pör	gedämpft
à l'étuvé a letü'we	gedünstet
bien cuit bjẽ küi	durchgebraten
cuit à l'eau küi a lo	gekocht
cuit au four küi o fur	gebacken
flambé flã'be	flambiert
fumé fü'me	geräuchert
gratiné grati'ne	überbacken
(fait) maison (fä) mä'sõ	hausgemacht
pané pa'ne	paniert
rôti ro'ti	geröstet

Fromages

Käse

bleu *m* blö	Blauschimmelkäse
doux du	mild
fromage *m* frɔ'masch	Käse
fromage *m* au lait cru frɔ'masch o lä krü	Rohmilchkäse
fromage *m* de brebis frɔ'masch dö brö'bi	Schafskäse
fromage *m* de chèvre frɔ'masch dö 'schäwrö	Ziegenkäse
plateau *m* de fromages pla'to dö frɔ'masch	Käseplatte

Desserts

Nachtisch

beignets *m/ pl* aux pommes bä'njä o pɔm	Apfelbeignets
charlotte *f* schar'lɔt	gestürzte Süßspeise aus likörgetränkten Löffelbiskuits und Vanillecreme
clafoutis *m* aux cerises klafu'ti o ßö'ris	Süßspeise aus Eierkuchenteig und Kirschen
crème *f* caramel kräm kara'mäl	Karamellpudding
flan *m* flã	Cremepudding
glace *f* glaß	Eis
glace *f* à la vanille glaß a la wa'nij	Vanilleeis

glace *f* au chocolat glaß o schɔkɔ'la	Schokoladeneis
île *f* flottante il flɔ'tãt	Eischnee auf Vanillesoße
macédoine *f* de fruits maße'doan dö früi	Obstsalat
meringue *f* mö'rẽg	Baiser
parfait *m* par'fä	Halbgefrorenes

Fruits

Obst

figues *f/ pl* fig	Feigen
pastèque *f* paß'täk	Wassermelone
pêche *f* päsch	Pfirsich
poire *f* poar	Birne
pomme *f* pɔm	Apfel
raisin *m* rä'sẽ	Weintraube

Gâteaux et pâtisseries

Kuchen und Gebäck

baba *m* au rhum ba'ba o rɔm	mit Rum getränkter Hefekuchen
chou *m* à la crème schu a la kräm	Windbeutel
mille-feuille *m* mil'föj	Blätterteiggebäck mit Creme
profiteroles *f/ pl* prɔfit'rɔl	kleine Windbeutel mit Cremefüllung
tarte *f* Tatin tart ta'tẽ	gestürzte Apfeltorte mit Karamellguss

Liste des consommations

Getränkekarte

Apéritifs

Aperitifs

kir *m* kir	Weißwein mit Johannisbeerlikör
kir *m* royal kir roa'jal	Champagner mit Johannisbeerlikör
pastis *m* paß'tiß	Anisschnaps

Vins

Wein

brut brüt	trocken *(Champagner)*
champagne *m* schã'panj	Champagner
cuvée *f* du patron kü'we dü pa'trõ	Hauswein
(demi-)sec (dömi)'ßäk	(halb-)trocken
doux du	lieblich
porto *m* pɔr'to	Portwein
vin *m* blanc wẽ blã	Weißwein
vin *m* de pays wẽ dö pä'i	Landwein
vin *m* de table wẽ dö 'tablö	Tafelwein
vin *m* mousseux wẽ mu'ßö	Schaumwein, Sekt
vin *m* rosé wẽ ro'se	Rosé
vin *m* rouge wẽ rusch	Rotwein

Autres boissons alcoolisées

Andere alkoholische Getränke

bière *f* bjär	Bier
bière *f* blonde bjär blõd	helles Bier
bière *f* brune bjär brün	dunkles Bier
bière *f* pression bjär prä'ßjõ	Bier vom Fass
bière *f* sans alcool bjär ßãs‿al'kɔl	alkoholfreies Bier
bitter *m* bi'tär	Magenbitter
calvados *m* kalwa'doß	Apfelschnaps
cassis *m* ka'ßiß	Johannisbeerlikör
cidre *m* 'ßidrö	Apfelwein
digestif *m* dischäß'tif	Verdauungsschnaps
eau-de-vie *f* od'wi	klarer Schnaps
marc *m* mark	Trester

Boissons non alcoolisées

Alkoholfreie Getränke

citron *m* pressé ßi'trõ pre'ße	Zitrone natur
eau *f* minérale o mine'ral	Mineralwasser
eau *f* minérale gazeuse o mine'ral ga'sös	Mineralwasser mit Kohlensäure
eau *f* minérale non gazeuse o mine'ral nõ ga'sös	Mineralwasser ohne Kohlensäure
grenadine *f* gröna'din	Granatapfelsirup mit Wasser
jus *m* schü	Saft

jus *m* de pomme schü dö pɔm	Apfelsaft
jus *m* de tomate schü dö tɔ'mat	Tomatensaft
jus *m* d'orange schü dɔ'rãsch	Orangensaft
limonade *f* limɔ'nad	Limonade
menthe *f* mãt	Pfefferminzsirup mit Wasser

Boissons chaudes

Heiße Getränke

café *m* ka'fe	Kaffee
café *m* au lait ka'fe o lä	Milchkaffee
café *m* crème ka'fe kräm	Kaffee mit aufgeschäumter Milch
café *m* express ka'fe äkß'präß	Espresso
chocolat *m* chaud schoko'la scho	heiße Schokolade
infusion *f* ẽfü'sjõ	Früchte- oder Kräutertee
infusion *f* de tilleul ẽfü'sjõ dö ti'jöl	Lindenblütentee
infusion *f* de verveine ẽfü'sjõ dö wär'wän	Eisenkrauttee
thé *m* te	Tee
thé *m* au citron te o ßi'trõ	Tee mit Zitrone
thé *m* au lait te o lä	Tee mit Milch

Bestellen

Die Karte bitte.	**La carte, s'il vous plaît.** la kart, ßil wu plä.
Ich möchte nur eine Kleinigkeit essen.	**Je voudrais seulement manger un petit quelque chose.** schö wu'drä ßöl'mã mã'sche ẽ pö'ti kälkö schos.
Gibt es jetzt noch etwas Warmes zu essen?	**Est-ce qu'on peut encore avoir quelque chose de chaud à manger ?** äß‿kõ pö ã'kɔr a'woar kälkö schos dö scho a mã'sche?
Ich möchte nur etwas trinken.	**Je voudrais seulement boire quelque chose.** schö wu'drä ßöl'mã boar kälkö schos.
Gibt es jetzt noch etwas zu essen?	**Vous servez encore à manger ?** wu ßär'we ã'kɔr‿a mã'sche?
Que désirez-vous boire ?	Was möchten Sie trinken?

Ich möchte … — **Je voudrais …** schö wu'drä …

- ein Glas Rotwein. — **– un verre de vin rouge.** ẽ wär dö wẽ rusch.
- eine Flasche Weißwein. — **– une bouteille de vin blanc.** ün bu'täj dö wẽ blã.
- einen (halben) Liter Hauswein. — **– un (demi) litre de vin maison.** ẽ (dö'mi) 'litrö dö wẽ mä'sõ.
- ein Viertel Rosé. — **– un quart de rosé.** ẽ kar dö ro'se.
- ein Bier. — **– une bière.** ün bjär.
- eine Karaffe Wasser. — **– une carafe d'eau.** ün ka'raf do.
- noch etwas Brot. — **– encore un peu de pain.** ã'kɔr ẽ pö dö pẽ.
- eine *kleine / große* Flasche Mineralwasser. — **– une *petite / grande* bouteille d'eau minérale.** ün *pö'tit / grãd* bu'täj do mine'ral.

Haben Sie auch offenen Wein? — **Avez-vous aussi du vin en carafe ?** awe'wu o'ßi dü wẽ ã ka'raf?

Que désirez-vous manger ? — Was möchten Sie essen?

Ich möchte … — **Je voudrais …** schö wu'drä …

- das Menü zu … Euro. — **– le menu à … euros.** lö mö'nü a … ö'ro.
- eine Portion … — **– une portion de …** ün pɔr'ßjõ dö …
- ein Stück … — **– une part de …** ün par dö …

Was empfehlen Sie mir? — **Que me recommandez-vous ?** kö mö rökɔmãde'wu?

Was ist heute das Tagesgericht? — **Quel est le plat du jour ?** käl ä lö pla dü schur?

Was sind die Spezialitäten aus dieser Region? — **Quelles sont les spécialités de la région ?** käl ßõ le ßpeßjali'te dö la re'schjõ?

info Eine **crêperie** finden Sie nicht nur in der Bretagne oder Normandie, sondern mittlerweile in allen touristischen Orten. Hier essen Sie **crêpes** *(süße, dünne Pfannkuchen)* und **galettes** *(Pfannkuchen aus Buchweizen mit herzhafter Füllung)*. Dazu gibt's **cidre** *(Apfelwein)*.
Unter **auberge** versteht man in Frankreich fast immer ein Restaurant, selten ein Hotel. Es ist rustikal, oft ziemlich teuer und mit vielen Michelin- oder Gault-Millau-Sternen ausgezeichnet.
In einigen Regionen, z.B. im Elsass, gibt es **fermes-auberges**, die regionale Spezialitäten in einem ländlichen Rahmen anbieten. Man kann dort bisweilen auch übernachten.

Haben Sie ...	**Avez-vous ...** awe'wu ...
– diabetische Kost?	**– des plats pour diabétiques ?** de pla pur djabe'tik?
– Diätkost?	**– des plats de régime ?** de pla dö re'schim?
– vegetarische Gerichte?	**– des plats végétariens ?** de pla wescheta'rjẽ?
Ist ... in dem Gericht? Ich darf das nicht essen.	**Est-ce qu'il y a ... dans ce plat ? Je n'ai pas le droit d'en manger.** äß_kil_ja ... dã ßö pla? schö nä pa lö droa dã mã'sche.
Für mich bitte ohne ...	**Pour moi sans ..., s'il vous plaît.** pur moa ßã ..., ßil wu plä.
Comme *entrée / dessert*, qu'est-ce que vous prenez ?	Was nehmen Sie als *Vorspeise / Nachtisch*?
Danke, ich nehme *keine Vorspeise / keinen Nachtisch*.	**Merci, je ne prends pas *d'entrée / de dessert*.** mär'ßi, schö nö prã pa *dã'tre / dö de'ßär*.

Könnte ich ... statt ... haben?	**Est-ce que je pourrais avoir ... au lieu de ... ?** äß‿kö schö pu'rä a'woar ... o ljö dö ...?
Comment désirez-vous votre steak ?	Wie möchten Sie Ihr Steak?
Englisch.	**Saignant.** ßä'njã.
Medium.	**A point.** a poẽ.
Gut durchgebraten.	**Bien cuit.** bjẽ küi.
Bitte bringen Sie mir noch ...	**Apportez-moi encore ..., s'il vous plaît.** apɔrte'moa ã'kor ..., ßil wu plä.

Reklamieren

Das habe ich nicht bestellt. Ich wollte ...	**Ce n'est pas ce que j'ai commandé. Je voulais ...** ßö nä pa ßö kö schä kɔmã'de. schö wu'lä ...
Haben Sie unser ... vergessen?	**Vous avez oublié notre ... ?** wus‿a'we ubli'je 'nɔtrö ...?
Hier fehlt noch ...	**Ici, il manque encore ...** i'ßi, il mãk ã'kɔr ...
Das Essen ist *kalt / versalzen*.	**Le repas est *froid / trop salé*.** lö rö'pa ä *froa / tro ßa'le*.
Das Fleisch ist nicht lang genug gebraten.	**La viande n'est pas assez cuite.** la wjãd nä pas‿a'ße küit.
Das Fleisch ist zäh.	**La viande est dure.** la wjãd ä dür.
Bitte nehmen Sie es zurück.	**Remportez cela, s'il vous plaît.** rãpɔr'te ßö'la, ßil wu plä.

► zu Lob: *Gefallen und Missgefallen ausdrücken,* Seite 22

Bezahlen

Die Rechnung bitte! | L'addition, s'il vous plaît ! ladi'ßjõ, ßil wu plä!

Ich möchte eine Quittung bitte. | Je voudrais une facture, s'il vous plaît. schö wu'drä ün fak'tür, ßil wu plä.

Wir möchten getrennt bezahlen. | Nous voudrions payer séparément. nu wudri'jõ pä'je ßepare'mã.

Bitte alles zusammen. | Une seule addition, s'il vous plaît. ün ßöl adi'ßjõ, ßil wu plä.

Vous êtes satisfait(s) ? | Hat es Ihnen geschmeckt?

► zu Lob: *Gefallen und Missgefallen ausdrücken,* Seite 22

Sagen Sie bitte dem Koch mein Kompliment! | Faites mes compliments au chef. fät me kõpli'mã o schäf.

info In Frankreich zahlt man grundsätzlich zusammen. Wer die eher deutsche Sitte des getrennten Bezahlens beibehalten will, muss das ausdrücklich sagen: **«Nous voudrions payer séparément»**. Die Rechnung wird sehr diskret überreicht, zusammengefaltet, auf einem Tellerchen, manchmal auch zugedeckt von einer Serviette.

Ich glaube, hier stimmt etwas nicht. | A mon avis, il y a une erreur. a mõn‿a'wi, il‿ja ün‿ä'rör.

Rechnen Sie es mir bitte vor. | Vous pourriez me refaire le compte, s'il vous plaît ? wu pu'rje mö rö'fär lö kõt, ßil wu plä?

Es stimmt so. | Ça va comme ça. ßa wa kɔm ßa.

Vielen Dank. | Merci beaucoup. mär'ßi bo'ku.

Gemeinsam essen

Guten Appetit! — **Bon appétit !** bɔn‿ape'ti!

Danke, gleichfalls! — **Merci, *vous / toi* de même.** mär'ßi, *wu / toa* dö mäm.

Zum Wohl! — **Santé !** ßã'te!

***Vous aimez / Tu aimes* ça ?** — Schmeckt es *Ihnen / dir*?

Danke, sehr gut. — **Merci, c'est très bon.** mär'ßi, ßä trä bõ.

Encore un peu de ... ? — Noch etwas ...?

Ja, gerne. — **Oui, volontiers.** ui, wɔlõ'tje.

Danke, ich bin satt. — **Je n'ai plus faim, merci.** schö nä plü fẽ, mär'ßi.

Was ist das? — **Qu'est-ce que c'est ?** käß‿kö ßä?

Würden Sie mir bitte ... reichen? — **Vous pourriez me passer ..., s'il vous plaît ?** wu pu'rje mö pa'ße ..., ßil wu plä?

Ich möchte keinen Alkohol trinken. — **Pas d'alcool pour moi, merci.** pa dal'kɔl pur moa, mär'ßi.

Stört es *Sie / dich*, wenn ich rauche? — **Ça *vous / te* dérange si je fume ?** ßa *wu / tö* de'rãsch ßi schö füm?

Danke für die Einladung. — **Merci pour l'invitation.** mär'ßi pur lẽwita'ßjõ.

Ich möchte *Sie / dich* einladen. — **J'aimerais *vous inviter / t'inviter.*** schäm'rä *wus‿ẽwi'te / tẽwi'te.*

Es war ausgezeichnet. — **C'était excellent.** ße'tät‿äkße'lã.

Bitten und danken, Seite 22

roh **cru** krü
Rohkost **les crudités** *f/ pl* le krüdi'te
Sahne **la crème chantilly** la kräm schãti'ji
Salat **la salade** la ßa'lad
Salatsoße **la vinaigrette** la wine'grät
Salz **le sel** lö ßäl
Salzstreuer **la salière** la ßa'ljär
satt sein **ne plus avoir faim** nö plüs‿a'woar fẽ
sauer **aigre** 'ägrö
scharf **épicé** epi'ße
schmecken **être bon** 'ätrö bõ
Schonkost **la cuisine diététique** la küi'sin djete'tik
Senf **la moutarde** la mu'tard
Serviette **la serviette** la ßär'wjät
Soße **la sauce** la ßoß
Spezialität **la spécialité** la ßpeßjali'te
Stück **le morceau** lö mɔr'ßo
Stuhl **la chaise** la schäs
Suppe **le potage** lö pɔ'tasch
süß **sucré** ßü'kre
Süßstoff **la saccharine** la ßaka'rin
Tasse **la tasse** la taß
Tee **le thé** lö te
Teelöffel **la cuillère à café** la küi'jär‿a ka'fe
Teller **l'assiette** *f* la'ßjät
Tisch **la table** la 'tablö
trinken **boire** boar
Trinkgeld **le pourboire** lö pur'boar
vegetarisch **végétarien** wescheta'rjẽ
Vorspeise **l'entrée** *f* lã'tre
Zahnstocher **le cure-dents** lö kür'dã
Zucker **le sucre** lö 'ßükrö

Einkaufen

Wo bekomme ich …?
Où est-ce que je peux acheter … ?

Kann ich probieren?
Je peux goûter ?

Preise verhandeln und bezahlen

Wie viel kostet das? | **Ça coûte combien ?** ßa kut kõ'bjẽ?

Was *kostet / kosten* ...? | **Combien *coûte / coûtent* ... ?** kõ'bjẽ *kut / kut* ...?

Das ist mir zu teuer. | **C'est trop cher pour moi.** ßä tro schär pur moa.

Können Sie mir mit dem Preis etwas entgegenkommen? | **Vous pouvez faire quelque chose pour le prix ?** wu pu'we fär kälkö schos pur lö pri?

Geben Sie einen Nachlass, wenn ich bar zahle? | **Vous me faites une réduction, si je paie en liquide ?** wu mö fät ün redük'ßjõ, ßi schö pä ã li'kid?

Haben Sie ein Sonderangebot? | **Vous avez des offres spéciales ?** wus‿a'we des‿'ɔfrö ßpe'ßjal?

Kann ich mit (dieser) Kreditkarte zahlen? | **Je peux payer avec (cette) carte de crédit ?** schö pö pä'je a'wäk (ßät) kart dö kre'di?

Ich hätte gerne eine Quittung. | **J'aimerais avoir une facture.** schäm'rä a'woar ün fak'tür.

Allgemeine Wünsche

Wo bekomme ich ...? | **Où est-ce que je peux acheter ... ?** u äß‿kö schö pö asch'te ...?

Vous désirez ? | Was wünschen Sie?

Je peux vous aider ? | Kann ich Ihnen helfen?

Danke, ich sehe mich nur um. | **Merci, je regarde seulement.** mär'ßi, schö rö'gard ßöl'mã.

Ich werde schon bedient.	**Merci, on me sert.** mär'ßi, õ mö ßär.
Ich hätte gerne …	**Je voudrais …** schö wu'drä …
Das gefällt mir nicht so gut.	**Cela ne me plaît pas tellement.** ßö'la nö mö plä pa täl'mã.
Können Sie mir bitte … zeigen?	**Pouvez-vous me montrer …, s'il vous plaît ?** puwe'wu mö mõ'tre …, ßil wu plä?
Können Sie mir noch etwas anderes zeigen?	**Vous pourriez me montrer autre chose ?** wu pu'rje mö mõ'tre 'oträ schos?
Ich muss mir das noch mal überlegen.	**Je dois encore réfléchir.** schö doa ã'kɔr refle'schir.
Das gefällt mir. Ich nehme es.	**Cela me plaît. Je le prends.** ßö'la mö plä. schö lö prã.
Vous désirez encore quelque chose ?	Darf es sonst noch etwas sein?
Danke, das ist alles.	**Merci, ce sera tout.** mär'ßi, ßö ßö'ra tu.
Haben Sie eine Tüte?	**Vous auriez un sac ?** wus‿o'rje ẽ ßak?
Können Sie es als Geschenk einpacken?	**Vous pourriez me faire un paquet cadeau ?** wu pu'rje mö fär ẽ pa'kä ka'do?
Können Sie mir das nach Deutschland schicken?	**Vous pourriez l'expédier en Allemagne ?** wu pu'rje läkßpe'dje ãn‿al'manj?
Ich möchte das *umtauschen / zurückgeben.*	**Je voudrais *échanger / rendre* cela.** schö wu'drä *eschã'sche / 'rãdrö* ßö'la.

Preise und Wünsche: weitere Wörter

Ausverkauf	**les soldes** ***f/ pl*** le 'ßɔldö
billig(er)	**(moins) cher** (moẽ) schär
geben	**donner** dɔ'ne
Geld	**l'argent** ***m*** lar'schã
Geschenk	**le cadeau** lö ka'do
(zu) groß	**(trop) grand** (tro) grã
größer	**plus grand** plü grã
kaufen	**acheter** asch'te
kosten	**coûter** ku'te
Kreditkarte	**la carte de crédit** la kart dö kre'di
Quittung	**le reçu** lö rö'ßü
rund	**rond** rõ
Schaufenster	**la vitrine** la wi'trin
Scheck	**le chèque** lö schäk
Schlussverkauf	**les soldes** ***f/ pl*** le 'ßɔldö
Selbstbedienung	**le libre service** lö 'librö ßär'wiß
Sonderangebot	**l'article** ***m*** **en promotion** lar'tikl ã prɔmo'ßjõ
(zu) teuer	**(trop) cher** (tro) schär
Tüte	**le sac** lö ßak
umtauschen	**échanger** eschã'sche
zeigen	**montrer** mõ'tre
zurückgeben	**rendre** 'rãdrö

Geschäfte

info Die Öffnungszeiten der Geschäfte sind in Frankreich folgendermaßen geregelt: Kaufhäuser und Supermärkte sind in der Regel bis 19 Uhr oder 19.30 Uhr geöffnet, kleinere Lebensmittelgeschäfte meist noch länger. Dafür wird eine ausgiebige Mittagspause gemacht: Von 12 bis 14 Uhr sind die Geschäfte geschlossen (nicht in Paris). Vor allem Lebensmittelgeschäfte, Bäckereien und Metzgereien haben auch sonntags vormittags geöffnet.

Geschäfte: weitere Wörter

Andenkenladen	**le magasin de souvenirs** lö maga'sẽ dö ßuw'nir
Antiquitätengeschäft	**le magasin d'antiquités** lö maga'sẽ dãtiki'te
Apotheke	**la pharmacie** la farma'ßi
Bäckerei	**la boulangerie** la bulãsch'ri
Blumengeschäft	**le fleuriste** lö flö'rißt
Boutique	**la boutique** la bu'tik
Buchhandlung	**la librairie** la librä'ri
Drogerie	**la droguerie** la drɔg'ri
Einkaufszentrum	**le centre commercial** lö 'ßãtrö kɔmär'ßjal
Elektrohandlung	**le magasin d'électroménager** lö maga'sẽ deläktromena'sche
Feinkostgeschäft	**l'épicerie** *f* **fine** lepiß'ri fin
Fischgeschäft	**la poissonnerie** la poaßɔn'ri
Fleischerei	**la boucherie** la busch'ri
Fotogeschäft	**le magasin d'articles photographiques** lö maga'sẽ dar'tiklö fɔtɔgra'fik
Friseur	**le coiffeur** lö koa'för

Lebensmittel: weitere Wörter

Ananas **l'ananas** *m* lana'na(ß)
Apfel **la pomme** la pɔm
Apfelsaft **le jus de pomme** lö s͜chü dö pɔm
Apfelwein **le cidre** lö 'ßidrö
Aprikose **l'abricot** *m* labri'ko
Artischocke **l'artichaut** *m* larti'scho
Aubergine **l'aubergine** *f* lobär's͜chin
Avocado **l'avocat** *m* lawɔ'ka
Banane **la banane** la ba'nan
Basilikum **le basilic** lö basi'lik
Bier **la bière** la bjär
Bier, alkoholfreies **la bière sans alcool** la bjär ßãs‿al'kɔl
Birne **la poire** la poar

Bohnen, grüne	**les haricots** *m/ pl* **verts** le ari'ko wär
Bohnen, weiße	**les haricots** *m/ pl* **blancs** le ari'ko blã
Brokkoli	**le brocoli** lö broko'li
Brot	**le pain** lö pẽ
Brötchen	**les petits pains** *m/ pl* le pö'ti pẽ
Butter	**le beurre** lö bör
Chicorée	**l'endive** *f* lã'diw
Ei	**l'œuf** *m, / pl:* **les œufs** löf, les‿ö
Eis	**la glace** la glaß
Erbsen	**les petits pois** *m/ pl* le pö'ti poa
Erdbeeren	**les fraises** *f/ pl* le fräs
Erdnüsse	**les cacahuètes** *f/ pl* le kaka'uät
Essig	**le vinaigre** lö wi'nägrö
Esskastanien	**les châtaignes** *m/ pl* le scha'tänj
Estragon	**l'estragon** *m* läßtra'gõ
Fisch	**le poisson** lö poa'ßõ
Fleisch	**la viande** la wjãd
Geflügel	**la volaille** la wɔ'laj
Gemüse	**les légumes** *m/ pl* le le'güm
Gewürze	**les épices** *f/ pl* les‿e'piß
Grieß	**la semoule** la ßö'mul
Gurke *(Salatgurke)*	**le concombre** lö kõ'kõbrö
Gurken, eingelegte	**les cornichons** *m/ pl* le kɔrni'schõ
Hackfleisch	**la viande hachée** la wjãd‿a'sche
Haferflocken	**les flocons** *m/ pl* **d'avoine** le flɔ'kõ da'woan
Hähnchen	**le poulet** lö pu'lä
Haselnuss	**la noisette** la noa'sät
Himbeeren	**les framboises** *f/ pl* le frã'boas
Honig	**le miel** lö mjäl
Joghurt	**le yaourt** lö ja'urt
Kaffee	**le café** lö ka'fe
Kakao	**le cacao** lö kaka'o
Kalbfleisch	**le veau** lö wo

Kartoffeln	**les pommes** ***f/ pl*** **de terre** le pɔm dö tär
Käse	**le fromage** lö frɔ'masch
Kekse	**les biscuits** ***m/ pl*** le bíß'küi
Ketchup	**le ketchup** lö kät'schöp
Kirschen	**les cerises** ***f/ pl*** le ßö'ris
Kiwi	**le kiwi** lö ki'ui
Knoblauch	**l'ail** ***m*** laj
Kohl	**le chou** lö schu
Konservierungsstoffe, ohne	**sans agents** ***m/ pl*** **de conservation** ßã a'schã dö kõßärwa'ßjõ
Kotelett	**la côtelette** la kot'lät
Kräuter	**les fines herbes** ***f/ pl*** le fin‿s‿'ärbö
Kräutertee	**l'infusion** ***f*** lẽfü'sjõ
Kuchen	**le gâteau** lö ga'to
Lammfleisch	**l'agneau** ***m*** la'njo
Lauch	**le poireau** lö poa'ro
Leberpastete	**le pâté de foie** lö pa'te dö foa
Limonade	**la limonade** la limɔ'nad
Mais	**le maïs** lö ma'iß
Margarine	**la margarine** la marga'rin
Marmelade	**la confiture** la kõfi'tür
Melone	**le melon** lö mö'lõ
Milch	**le lait** lö lä
Milch, fettarme	**le lait demi-écrémé** lö lä dö'mi ekre'me
Mineralwasser *mit / ohne* Kohlensäure	**l'eau** ***f*** **minérale** ***gazeuse / non gazeuse*** lo mine'ral *ga'sös / nõ ga'sös*
Möhren	**les carottes** ***f/ pl*** le ka'rɔt
Müsli	**le muesli** lö müß'li
Nudeln	**les pâtes** ***f/ pl*** le pat
Obst	**les fruits** ***m/ pl*** le früi
Öl	**l'huile** ***f*** lüil
Oliven	**les olives** ***f/ pl*** les‿ɔ'liw

Olivenöl	**l'huile** *f* **d'olive** lüil dɔ'liw
Ölsardinen	**les sardines** *f/ pl* **à l'huile** le ßar'din a lüil
Orange	**l'orange** *f* lɔ'rãsch
Orangensaft	**le jus d'orange** lö schü dɔ'rãsch
Oregano	**l'origan** *m* lɔri'gã
Paprika *(Gewürz)*	**le piment** lö pi'mã
Paprikaschote	**le poivron** lö poa'wrõ
Peperoni	**le piment** lö pi'mã
Petersilie	**le persil** lö pär'ßi
Pfeffer	**le poivre** lö 'poawrö
Pfirsich	**la pêche** la päsch
Pflaume	**la prune** la prün
Pilze	**les champignons** *m/ pl* le schãpi'njõ
Reis	**le riz** lö ri
Rindfleisch	**le bœuf** lö böf
Rosmarin	**le romarin** lö rɔma'rẽ
Rotwein	**le vin rouge** lö wẽ rusch
Saft	**le jus** lö schü
Sahne	**la crème** la kräm
Salami	**le salami** lö ßala'mi
Salat	**la salade** la ßa'lad
Salz	**le sel** lö ßäl
Schinken, gekochter	**le jambon cuit** lö schã'bõ küi
Schinken, roher	**le jambon cru** lö schã'bõ krü
Schnittlauch	**la ciboulette** la ßibu'lät
Schnitzel	**l'escalope** *f* läßka'lɔp
Schokolade	**le chocolat** lö schoko'la
Schwarzbrot	**le pain noir** lö pẽ noar
Schweinefleisch	**le porc** lö pɔr
Spargel	**l'asperge** *f* laß'pärsch
Spinat	**les épinards** *m/ pl* les‿epi'nar
Steak	**le steak** lö ßtäk
Süßstoff	**la saccharine** la ßaka'rin

Tee	**le thé** lö te
Thymian	**le thym** lö tẽ
Tomate	**la tomate** la tɔ'mat
Vollkornbrot	**le pain complet** lö pẽ kõ'plä
Walnuss	**la noix** la noa
Wassermelone	**la pastèque** la paß'täk
Wein	**le vin** lö wẽ
Weintraube	**le raisin** lö rä'sẽ
Weißbrot	**le pain blanc** lö pẽ blã
Weißwein	**le vin blanc** lö wẽ blã
Wurst(aufschnitt)	**la charcuterie** la scharküt'ri
Würstchen	**la saucisse** la ßo'ßiß
Zitrone	**le citron** lö ßi'trõ
Zucchini	**la courgette** la kur'schät
Zucker	**le sucre** lö 'ßükrö
Zwiebel	**l'oignon** *m* lɔ'njõ

info Magasin libre service heißt ganz einfach *Selbstbedienungsladen* und bezeichnet oft einen kleinen Supermarkt. Wenn Sie eine Ferienwohnung gemietet haben oder campen, also zu den Selbstversorgern gehören, werden Sie auch in den **supermarchés** *(Supermärkten)* und den **hypermarchés** *(Riesen-Supermärkten)* einkaufen gehen. Sie sind meist am Stadtrand gelegen, sodass man sie ohne Auto nicht erreichen kann. Dort bekommen Sie einfach alles.
Tipp: Tanken Sie auch dort, die Preise sind oft niedriger als an den normalen Tankstellen.
Marché *(Markt)* ist einmal in der Woche; gerade in Südfrankreich sollten Sie unbedingt einen Markt besuchen. Die Pariser **halles** *(Markthallen)* existieren zwar nicht mehr, aber viele Viertel in Paris und in anderen Städten haben sich den überdachten Markt bewahrt.

Souvenirs

Ich möchte …	**Je voudrais …** schö wu'drä …
– ein hübsches Andenken.	**– un joli souvenir.** ẽ schɔ'li ßuw'nir.
– ein Geschenk.	**– un cadeau.** ẽ ka'do.
– etwas Typisches aus dieser Gegend.	**– quelque chose de typique de la région.** kälkö schos dö ti'pik dö la re'schjõ.
Ist das Handarbeit?	**Est-ce que c'est fait main ?** äß‿kö ßä fä mẽ?
Ist das *antik* / *echt*?	**Est-ce que c'est *ancien* / *du vrai* ?** äß‿kö ßä *t‿ã'ßjẽ* / *dü wrä*?

Souvenirs: weitere Wörter

Andenken	**le souvenir** lö ßuw'nir
antik	**ancien** ã'ßjẽ
Antiquität	**l'antiquité** ***f*** lãtiki'te
Baskenmütze	**le béret (basque)** lö be'rä (baßk)
Becher	**le gobelet** lö gɔb'lä
Decke	**la couverture** la kuwär'tür
Geschirr	**la vaisselle** la wä'ßäl
Gürtel	**la ceinture** la ßẽ'tür
Handarbeit	**fait à la main** fä a la mẽ
handgemalt	**peint à la main** pẽ a la mẽ
Handtasche	**le sac à main** lö ßak a mẽ
Kanne	**le broc** lö brɔk
Keramik	**la céramique** la ßera'mik
Kräuter der Provence	**les herbes** ***f/ pl*** **de Provence** les‿'ärbö dö prɔ'wãß
Kunsthandwerk	**l'artisanat** ***m*** lartisa'na
Lavendel	**la lavande** la la'wãd
Leder	**le cuir** lö küir
Schmuck	**les bijoux** ***m/ pl*** le bi'schu
Schüssel	**le saladier** lö ßala'dje
Seidentuch	**le foulard en soie** lö fu'lar‿ã ßoa
Spitze	**la dentelle** la dã'täl
Steingut	**la faïence** la fa'jãß
Tasse	**la tasse** la taß
Terrakotta	**la terre cuite** la tär küit
Tischdecke	**la nappe** la nap
Töpferware	**la poterie** la pɔt'ri
Trinkschale	**le bol** lö bɔl
Vase	**le vase** lö was
Zertifikat	**le certificat** lö ßärtifi'ka

Kleidung

Kleidung kaufen

Ich suche …	**Je cherche …** schö schärsch …
Quelle est votre taille ?	Welche Größe haben Sie?
Ich habe die deutsche Größe …	**Je porte un … allemand.** schö pɔrt ẽ … al'mã.

info Die Kleidergrößen sind in Frankreich anders bemessen als in Deutschland: So entspricht die deutsche Konfektionsgröße 36 in Frankreich der Konfektionsgröße 38.

Ich habe Größe …	**Je porte du …** schö pɔrt dü …
Haben Sie das auch in Größe …?	**Est-ce que vous l'avez aussi dans la taille… ?** äß‿kö wu la'we o'ßi dã la taj …?
Haben Sie das auch in einer anderen Farbe?	**Est-ce que vous l'avez aussi dans une autre couleur ?** äß‿kö wu la'we o'ßi dãs‿ün‿'otrö ku'lör?

► *Farben,* Seite 121

Kann ich das anprobieren?	**Je peux l'essayer ?** schö pö leßä'je?
Wo ist ein Spiegel?	**Où est le miroir ?** u ä lö mi'roar?
Wo sind die Umkleidekabinen?	**Où sont les cabines d'essayage ?** u ßõ le ka'bin deßä'jasch?
Welches Material ist das?	**C'est quoi comme tissu ?** ßä koa kɔm ti'ßü?
Es steht mir nicht.	**Ça ne me va pas.** ßa nö mö wa pa.

Das passt mir nicht.	**Cela ne me va pas.** ßö'la nö mö wa pa.
Das ist mir zu *groß / klein*.	**C'est trop *grand / petit*.** ßä tro *grã / pö'ti*.
Das passt gut.	**Cela va parfaitement.** ßö'la wa parfät'mã.

Reinigung

Ich möchte das reinigen lassen.	**Je voudrais faire nettoyer cela.** schö wu'drä fär netoa'je ßö'la.
Können Sie diesen Fleck entfernen?	**Vous pouvez enlever cette tache?** wu pu'we ãl'we ßät tasch?
Wann kann ich es abholen?	**Quand est-ce que je peux venir le reprendre?** kãt‿äß‿kö schö pö wö'nir lö rö'prãdrö?

Stoffe und Materialien

Baumwolle	**le coton** lö ko'tõ
Fleece	**la fibre polaire** la 'fibrö pɔ'lär
Kaschmir	**le cachemire** lö kasch'mir
Leder	**le cuir** lö küir
Leinen	**le lin** lö lẽ
Mikrofaser	**la microfibre** la mikro'fibrö
Naturfaser	**les fibres *f/ pl* naturelles** le 'fibrö natü'räl
Schafwolle	**le mohair** lö mɔ'är
Schurwolle, reine	**la pure laine vierge** la pür län wjärsch
Seide	**la soie** la ßoa
Synthetik	**le synthétique** lö ßẽte'tik
Wildleder	**le chamois** lö scha'moa
Wolle	**la laine** la län

Farben

beige	**beige** bäsch
blau	**bleu** blö
braun	**marron** *(unv)* ma'rõ
bunt	**multicolore** mültikɔ'lɔr
dunkelblau	**bleu marine** *(unv)* blö ma'rin
dunkelrot	**rouge foncé** *(unv)* rusch fõ'ße
einfarbig	**uni** ü'ni
gelb	**jaune** schon
golden	**doré** do're
grau	**gris** gri
grün	**vert** wär
hellblau	**bleu ciel** *(unv)* blö ßjäl
lila	**violet** wjɔ'lä
pink	**fuchsia** fü'schja
rosa	**rose** ros
rot	**rouge** rusch
schwarz	**noir** noar
silbern	**argent** *(unv)* ar'schã
türkis	**turquoise** tür'koas
weiß	**blanc,** *f*: **blanche** blã, blãsch

Kleidung kaufen: weitere Wörter

Anorak	**l'anorak** *m* lanɔ'rak
Anzug	**le costume** lö kɔß'tüm
Ärmel, kurze	**les manches courtes** *f/ pl* le mãsch kurt
Ärmel, lange	**les manches** *f/ pl* **longues** le mãsch lõg
Badeanzug	**le maillot de bain** lö ma'jo d‿bẽ
Badehose	**le caleçon de bain** lö kal'ßõ dö bẽ
Bademantel	**le peignoir (de bain)** lö pä'njoar (dö bẽ)
BH	**le soutien-gorge** lö ßutjẽ'gɔrsch
Bikini	**le bikini** lö biki'ni
Bluse	**le chemisier** lö schömi'sje
Gürtel	**la ceinture** la ßẽ'tür
Halstuch	**le foulard** lö fu'lar
Handschuhe	**les gants** *m/ pl* le gã
Hemd	**la chemise** la schö'mis
Hose	**le pantalon** lö pãta'lõ
Hut	**le chapeau** lö scha'po
Jacke	**la veste** la wäßt
Jeans	**le jean** lö dschin
Jogginghose	**le pantalon de jogging** lö pãta'lõ dö dschɔ'ging
Kleid	**la robe** la rɔb
Kostüm	**le tailleur** lö ta'jör
Krawatte	**la cravate** la kra'wat
kurz	**court** kur
lang	**long** lõ
Leder	**le cuir** lö küir
Leggins	**les caleçons** *m/ pl* le kal'ßõ
Mantel	**le manteau** lö mã'to
Mikrofaser	**la microfibre** la mikro'fibrö
Mütze	**le bonnet** lö bɔ'nä

Pullover	**le pullover** lö pülɔ'wär
Regenjacke	**le k-way** lö ka‿'ue
Regenmantel	**l'imperméable** *m* lẽpärme'ablö
Reißverschluss	**la fermeture éclair** la färmö'tür‿e'klär
Rock	**la jupe** la schüp
Sakko	**le veston** lö wäß'tõ
Schal	**l'écharpe** *f* le'scharpö
Schlafanzug	**le pyjama** lö pischa'ma
Shorts	**le short** lö schɔrt
Slip	**le slip** lö ßlip
Socken	**les chaussettes** *f/ pl* le scho'ßät
Sonnenhut	**le chapeau de soleil** lö scha'po dö ßɔ'läj
Strümpfe	**les mi-bas** *m/ pl* le miba
Strumpfhose	**le collant** lö kɔ'lã
T-Shirt	**le T-shirt** lö ti'schört
Unterhemd	**le maillot de corps** lö ma'jo d‿kɔr
Unterwäsche	**les dessous** *m/ pl* le dö'ßu
Weste	**le gilet** lö schi'lä

Schuhgeschäft

Ich möchte ein Paar …	**Je voudrais une paire de …** schö wu'drä ün pär dö …
Quelle est votre pointure ?	Welche Schuhgröße haben Sie?
Ich habe Schuhgröße …	**Ma pointure est …** ma poẽ'tür ä …
Der Absatz ist zu *hoch / niedrig*.	**Le talon est trop *haut / plat*.** lö ta'lõ ä tro *o / pla*.
Sie sind zu *groß / klein*.	**Elles sont trop *grandes / petites*.** äl ßõ tro *grãd / pö'tit*.

Sie drücken hier.	Elles me serrent ici.	äl mö ßär i'ßi.
Bitte (erneuern Sie) die Absätze.	(Réparez) les talons, s'il vous plaît.	(repa're) le ta'lõ, ßil wu plä.
Bitte (erneuern Sie) die Sohlen.	Un ressemelage, s'il vous plaît.	ẽ rößöm'lasch, ßil wu plä.

Schuhgeschäft: weitere Wörter

Badeschuhe	**les sandales** *f/ pl* **de bain** le ßã'dal dö bẽ
Bergschuhe	**les chaussures** *f/ pl* **de montagne** le scho'ßür dö mõ'tanj
Einlegsohlen	**les semelles** *f/ pl* le ßö'mäl
eng	**serré** ße're
Größe	**la pointure** la poẽ'tür
Gummistiefel	**les bottes** *f/ pl* **en caoutchouc** le bɔt ã kau'tschu
Halbschuhe	**les chaussures** *f/ pl* **de ville** le scho'ßür dö wil
Ledersohle	**la semelle en cuir** la ßö'mäl ã küir
Pumps	**les escarpins** *m/ pl* les‿äßkar'pẽ
Sandalen	**les sandales** *f/ pl* le ßã'dal
Schnürsenkel	**les lacets** *m/ pl* le la'ßä
Schuhcreme	**le cirage** lö ßi'rasch
Schuhe	**les chaussures** *f/ pl* le scho'ßür
Schuhputzmittel	**les produits** *m/ pl* **pour l'entretien des chaussures** le prɔ'düi pur lãtrö'tjẽ de scho'ßür
Stiefel	**les bottes** *f/ pl* le bɔt
Turnschuhe	**les baskets** *m/ pl* le baß'kät
Wanderschuhe	**les chaussures** *f/ pl* **de randonnée** le scho'ßür dö rãdɔ'ne
Wildleder	**le chamois** lö scha'moa

Uhren und Schmuck

Ich brauche eine neue Batterie für die Uhr.	**J'ai besoin d'une pile neuve pour cette montre.** schä bö'soẽ dün pil nöw pur ßät 'mõtrö.
Ich suche ein hübsches *Andenken / Geschenk*.	**Je cherche un joli *souvenir / cadeau*.** schö schärsch ẽ schɔ'li *ßuw'nir / ka'do*.
Dans quel prix ?	Wie viel darf es denn kosten?
Woraus ist das?	**C'est en quoi ?** ßät_ã koa?

Uhren und Schmuck: weitere Wörter

Anhänger	**le pendentif** lö pãdã'tif
Armband	**le bracelet** lö braß'lä
Brosche	**la broche** la brɔsch
Diamant	**le diamant** lö dja'mã
Gold	**l'or** *m* lɔr
Karat	**le carat** lö ka'ra
Kette	**la chaîne** la schän
Modeschmuck	**le bijou fantaisie** lö bi'schu fãtä'si
Ohrklipse	**les boucles** *f/ pl* **d'oreille à clips** le 'buklö do'räj a klip
Ohrringe	**les boucles** *f/ pl* **d'oreille** le 'buklö do'räj
Perle	**la perle** la 'pärlö
Ring	**la bague** la bag
Schmuck	**les bijoux** *m/ pl* le bi'schu
Silber	**l'argent** *m* lar'schã
Uhr	**la montre** la 'mõtrö
Uhrarmband	**le bracelet de montre** lö braß'lä dö 'mõtrö
vergoldet	**doré** do're
Wecker	**le réveil** lö re'wäj

Körperpflege

allergiegetestet	**anallergique** analär'schik
Binden *(Damenbinden)*	**les serviettes** ***f/ pl*** **hygiéniques** le ßär'wjät ischje'nik
Bürste	**la brosse** la brɔß
Deo	**le déodorant** lö deɔdɔ'rã
Duschgel	**le gel douche** lö schäl dusch
Haargel	**le gel coiffant** lö schäl koa'fã
Haargummi	**l'élastique** ***m*** **à cheveux** lelaß'tik a schö'wö
Haarklammern	**les pinces** ***f/ pl*** **à cheveux** le pẽß a schö'wö
Haarspange	**la barrette** la ba'rät
Haarspray	**la laque à cheveux** la lak‿a schö'wö
Handcreme	**la crème de soins pour mains** la kräm dö ßoẽ pur le mẽ
Kajalstift	**le crayon khôl** lö krä'jõ kol
Kamm	**le peigne** lö pänj
Kondome	**les préservatifs** ***m/ pl*** le presärwa'tif
Körperlotion	**la lotion corporelle** la lo'ßjõ kɔrpɔ'räl
Kosmetiktücher	**les disques** ***m/ pl*** **à démaquiller** le dißk a demaki'je
Lichtschutzfaktor	**le facteur de protection solaire** lö fak'tör dö prɔtäk'ßjõ ßɔ'lär
Lidschatten	**l'ombre** ***f*** **à paupières** lõbr‿a po'pjär
Lippenpflegestift	**le stick à lèvres** lö ßtik a 'läwrö
Lippenstift	**le rouge à lèvres** lö rusch‿a 'läwrö
Mückenschutz	**la protection anti-moustiques** la prɔtäk'ßjõ ãtimuß'tik
Nachtcreme	**la crème de nuit** la kräm dö nüi
Nagelbürste	**la brosse à ongles** la brɔß‿a 'õglö
Nagelfeile	**la lime à ongles** la lim‿a 'õglö
Nagellack	**le vernis à ongles** lö wär'ni a 'õglö
Nagellackentferner	**le dissolvant** lö dißɔl'wã

Nagelschere	**les ciseaux** ***m/ pl*** **à ongles** le ßi'so a 'õglö
Papiertaschentücher	**les mouchoirs** ***m/ pl*** **en papier** le mu'schoar ã pa'pje
Parfüm	**le parfum** lö par'fẽ
parfümfrei	**non parfumé** nõ parfü'me
Pflaster	**le pansement adhésif** lö pãß'mã ade'sif
Pinzette	**la pince à épiler** la pẽß‿a epi'le
Rasierklinge	**la lame de rasoir** la lam dö ra'soar
Rasierschaum	**la mousse à raser** la muß‿a ra'se
Reinigungsmilch	**le lait démaquillant** lö lä demaki'jã
Rouge	**le blush** lö blösch
Schaumfestiger	**la mousse renforçatrice** la muß rãfɔrßa'triß
Seife	**le savon** lö ßa'wõ
Shampoo	**le shampooing** lö schã'poẽ
Sonnencreme	**la crème solaire** la kräm ßɔ'lär
Sonnenmilch	**le lait solaire** lö lä ßɔ'lär
Spiegel	**le miroir** lö mi'roar
Tagescreme	**la crème de jour** la kräm dö schur
Tampons	**les tampons** ***m/ pl*** le tã'põ
Toilettenpapier	**le papier hygiénique** lö pa'pje ischje'nik
Waschlappen	**le gant de toilette** lö gã dö toa'lät
Waschmittel	**le détergent** lö detär'schã
Watte	**le coton** lö ko'tõ
Wattestäbchen	**les Cotons-Tiges** ***m/ pl (Wz)*** le kotõ'tisch
Wimperntusche	**le rimmel** lö ri'mäl
Zahnbürste	**la brosse à dents** la brɔß‿a dã
Zahnpasta	**le dentifrice** lö dãti'friß
Zahnseide	**le fil dentaire** lö fil dã'tär
Zahnstocher	**le cure-dents** lö kür'dã

Haushalt

Alufolie	**l'aluminium** *m* **ménager** lalümi'njɔm mena'sche
Besen	**le balai** lö ba'lä
Brennspiritus	**l'alcool** *m* **à brûler** lal'kɔl a brü'le
Dosenöffner	**l'ouvre-boîte** *m* luwrö'boat
Eimer	**le seau** lö ßo
Feuerzeug	**le briquet** lö bri'kä
Flaschenöffner	**le décapsuleur** lö dekapßü'lör
Fleckenentferner	**le détachant** lö deta'schã
Frischhaltefolie	**le film fraîcheur** lö film frä'schör
Gabel	**la fourchette** la fur'schät
Glas	**le verre** lö wär
Glühlampe	**l'ampoule** *f* **(electrique)** lã'pul (eläk'trik)
Grillanzünder	**l'allume-feu** *m* la'lüm‿'fö
Grillkohle	**le charbon de bois** lö schar'bõ dö boa
Insektenspray	**le spray anti-insectes** lö ßprä ãtiẽ'ßäktö
Kerzen	**les bougies** *f* le bu'schi
Korkenzieher	**le tire-bouchon** lö tirbu'schõ
Küchenrolle	**le rouleau de papier (absorbant)** lö ru'lo dö pa'pje (apßɔr'bã)
Kühltasche	**la glacière** la gla'ßjär
Löffel	**la cuillère** la küi'jär
Messer	**le couteau** lö ku'to
Moskitospirale	**la spirale anti-moustiques** la ßpi'ral ãtimuß'tik
Nähgarn	**le fil à coudre** lö fil‿a 'kudrö
Nähnadel	**l'aiguille** *f* **à coudre** lä'güij‿a 'kudrö
Pfanne	**la poêle** la poal
Plastikbecher	**le gobelet en plastique** lö gɔb'lä ã plaß'tik

Plastikbesteck	**les couverts** ***m/ pl*** **en plastique** le ku'wär‿ã plaß'tik
Plastikteller	**l'assiette** ***f*** **en plastique** la'ßjät‿ã plaß'tik
Reinigungsmittel	**les produits** ***m/ pl*** **de nettoyage** le prɔ'düi dö netoa'jasch
Schere	**les ciseaux** ***m/ pl*** le ßi'so
Servietten	**les serviettes** ***f/ pl*** le ßär'wjät
Sicherheitsnadel	**l'épingle** ***f*** **de sûreté** le'pẽglö dö ßür'te
Spülmittel	**le liquide vaisselle** lö li'kid wä'ßäl
Spültuch	**la lavette** la la'wät
Streichhölzer	**les allumettes** ***f/ pl*** les‿alü'mät
Taschenmesser	**le couteau de poche** lö ku'to dö pɔsch
Tasse	**la tasse** la taß
Teller	**l'assiette** ***f*** la'ßjät
Thermosflasche	**le thermos** lö tär'moß
Topf	**la casserole** la kaß'rɔl
Wäscheklammern	**les pinces** ***f/ pl*** **à linge** le pẽß a lẽsch
Wäscheleine	**la corde à linge** la kɔrd‿a lẽsch
Waschpulver	**la lessive** la lä'ßiw
Wischlappen	**le chiffon** lö schi'fõ

Elektroartikel

Adapter	**l'adaptateur** *m* ladapta'tör
Batterie	**la pile** la pil
Föhn *(Wz)*	**le sèche-cheveux** lö ßäsch schö'wö
Rasierapparat	**le rasoir** lö ra'soar
Taschenlampe	**la lampe de poche** la lãp dö pɔsch
Taschenrechner	**la calculette** la kalkü'lät
Tauchsieder	**le thermoplongeur** lö tärmoplõ'schör
Verlängerungsschnur	**la rallonge** la ra'lõsch
Wecker	**le réveil** lö re'wäj

Optiker

Meine Brille ist kaputt. — **Mes lunettes sont cassées.** me lü'nät ßõ ka'ße.

Können Sie das reparieren? — **Pouvez-vous réparer cela ?** puwe'wu repa're ßö'la?

Ich hätte gerne Eintageslinsen. — **J'aimerais avoir des lentilles journalières jetables.** schäm'rä a'woar de lã'tij schurna'ljär schö'tablö.

Avez-vous un carnet pour les *lunettes / lentilles* ? — Haben Sie einen *Brillenpass / Kontaktlinsenpass*?

Combien de dioptries avez-vous ? — Wie viel Dioptrien haben Sie?

Ich habe links … Dioptrien und rechts … Dioptrien. — **J'ai … dioptries à gauche et … dioptries à droite.** schä … diɔp'tri a gosch et … diɔp'tri a droat.

Ich möchte eine Sonnenbrille. — **Je voudrais des lunettes de soleil.** schö wu'drä de lü'nät dö ßɔ'läj.

Ich habe eine Kontaktlinse verloren.

J'ai perdu une lentille de contact. schä pär'dü ün lã'tij dö kõ'takt.

Ich brauche Aufbewahrungslösung für *harte / weiche* Kontaktlinsen.

Il me faudrait une solution de conservation pour lentilles *dures / souples*. il mö fo'drä ün ßɔlü'ßjõ dö kõßärwa'ßjõ pur lã'tij *dür / 'ßuplö.*

Ich brauche Reinigungslösung für *harte / weiche* Kontaktlinsen.

Il me faudrait une solution de nettoyage pour lentilles *dures / souples*. il mö fo'drä ün ßɔlü'ßjõ dö netoa'jasch pur lã'tij *dür / 'ßuplö.*

Fotoartikel

Ich hätte gern …

Je voudrais … schö wu'drä …

- eine Speicherkarte für diesen Apparat mit … *MB / GB*.
- **une carte mémoire pour cet appareil avec … *MB / GB*.** ün 'kart me'moar pur ßät‿apa'räj a'wäk … *mega'bait / schiga'bait.*

- einen Film für diesen Apparat.
- **une pellicule pour cet appareil.** ün päli'kül pur ßät‿apa'räj.

- einen Farb-Negativfilm.
- **une pellicule couleurs.** ün päli'kül ku'lör.

- einen Diafilm.
- **une pellicule pour diapositives.** ün päli'kül pur djaposi'tiw.

- einen Film mit … ASA.
- **une pellicule avec … ASA.** ün päli'kül a'wäk … a'sa.

Ich hätte gerne Batterien für diesen Apparat.

Je voudrais des piles pour cet appareil. schö wu'drä de pil pur ßät‿apa'räj.

Wann sind die Bilder fertig?

Les photos seront prêtes quand? le fɔ'to ßö'rõ prät kã?

Ich möchte diesen Film entwickeln lassen.	Je voudrais faire développer cette pellicule. schö wu'drä fär dewlɔ'pe ßät peli'kül.
Können Sie meinen Fotoapparat reparieren?	Vous pouvez réparer mon appareil photo? wu pu'we repa're mõn‿apa'räj fɔ'to?
Er transportiert nicht.	Il bloque. il blɔk.
Der Auslöser / Das Blitzlicht funktioniert nicht.	*Le déclencheur / Le flash* ne fonctionne pas. *lö deklã'schör / lö flasch* nö fõk'ßjɔn pa.
Ich möchte gerne Passbilder machen lassen.	Je voudrais faire faire des photos d'identité. schö wu'drä fär fär de fɔ'to didãti'te.

Fotoartikel: weitere Wörter

Akkus	**les accus** les a'kü
Batterien	**les piles** les pil
Bild	**la photo** la fɔ'to
Blitz	**le flash** lö flasch
Camcorder	**le caméscope** lö kameß'kɔp
Digitalkamera	**l'appareil** *m* **photo numérique** lapa'räj fɔ'to nüme'rik
filmen	**filmer** fil'me
Filmkamera	**la caméra** la kame'ra
Filter	**le filtre** lö 'filtrö
Fototasche	**l'étui d'appareil photo** le'tüi dapa'räj fɔ'to
Objektiv	**l'objectif** *m* lɔbschäk'tif
Selbstauslöser	**le déclencheur automatique** lö deklã'schör ɔtɔma'tik
Sonnenblende	**pare-soleil** parßɔ'läj
Speicherkarte	**la carte mémoire** la kart me'moar

Spiegelreflexkamera	**le réflex** lö re'fläkß
Stativ	**le trépied** lö tre'pje
Teleobjektiv	**le téléobjectif** lö teleɔbschäk'tif
UV-Filter	**le filtre UV** lö filtr üwe
Videokamera	**la caméra vidéo** la kame'ra wide'o
Videokassette	**la vidéocassette** la wideoka'ßät
Weitwinkelobjektiv	**l'objectif** *m* **grand angle** lɔbschäk'tif grãt‿'ãglö
Zoomobjektiv	**le zoom** le sum

Musik

Haben Sie *CDs / Kassetten* von …?	**Vous avez des** ***CD / cassettes*** **de …?** wus‿a'we de *ße'de / ka'ßät* dö …?
Ich hätte gerne eine CD mit traditioneller französischer Musik.	**Je cherche un CD de musique traditionnelle française.** schö schärsch ẽ ße'de dö mü'sik tradißjɔ'näl frã'ßäs.

Musik: weitere Wörter

CD	**le CD** lö ße'de
CD-Spieler, tragbarer	**le lecteur de CD portable** lö läk'tör dö ße'de pɔr'tablö
DVD	**le DVD** lö dewe'de
Kassette	**la cassette** la ka'ßät
Kopfhörer	**les écouteurs** les‿eku'tör
MP3-Spieler	**le lecteur MP3** lö läk'tör ämpe'troa
Musik	**la musique** la mü'sik
Radio	**la radio** la ra'djo
USB-Stick	**la clé USB** la kle üäßbe
Walkman *(Wz)*	**le baladeur** lö bala'dör

Bücher und Schreibwaren

Ich hätte gerne …	**Je voudrais …** schö wu'drä …
– eine (deutsche) Zeitung.	**– un journal (allemand).** ẽ schur'nal (al'mã).
– eine (deutsche) Zeitschrift.	**– un magazine (allemand).** ẽ maga'sin (al'mã).
– eine Karte der Umgebung.	**– une carte de la région.** ün kart dö la re'schjõ.
– einen Stadtplan.	**– un plan de la ville.** ẽ plã dö la wil.
Haben Sie auch eine neuere Zeitung?	**Vous auriez aussi un journal plus récent ?** wus‿o'rje o'ßi ẽ schur'nal plü re'ßã?
Haben Sie deutsche Bücher?	**Avez-vous des livres en allemand ?** awe'wu de liwr ãn‿al'mã?

Bücher und Zeitschriften

Illustrierte	**le magazine illustré** *m* lö maga'sin ilüß'tre
Kochbuch	**le livre de cuisine** lö 'liwrö dö küi'sin
Krimi	**le policier** lö pɔli'ßje
Radtourenkarte	**la carte de randonnées cyclistes** la kart dö rãdɔ'ne ßi'kllißtö
Reiseführer	**le guide de voyage** lö gid dö woa'jasch
Roman	**le roman** lö rɔ'mã
Straßenkarte	**la carte routière** la kart ru'tjär
Wanderkarte	**la carte de randonnées pédestres** la kart dö rãdɔ'ne pe'däßtrö
Wörterbuch	**le dictionnaire** lö dikßjɔ'när

Schreibwaren

Ansichtskarte	**la carte postale** la kart pɔß'tal
Bleistift	**le crayon** lö krä'jõ
Briefpapier	**le papier à lettres** lö pa'pje a 'lätrö
Briefumschlag	**l'enveloppe** *f* lãw'lɔp
Diskette	**la disquette** la diß'kät
Druckerpatrone	**la cartouche d'imprimante** la kar'tusch dẽpri'mãt
Filzstift	**le feutre** lö 'fötrö
Klebeband	**le ruban adhésif** lö ru'bã ade'sif
Klebstoff	**la colle** la kɔl
Kugelschreiber	**le stylo bille** lö ßti'lo bij
Papier	**le papier** lö pa'pje
Radiergummi	**la gomme** la gɔm
Schreibblock	**le bloc-notes** lö blɔk nɔt
Spielkarten	**les cartes** *f/ pl* **à jouer** le kart a schu'e
Spitzer	**le taille-crayon** lö tajkrä'jõ

Tabakwaren

Eine Schachtel Zigaretten *mit / ohne* Filter, bitte.	Un paquet de cigarettes *avec / sans* filtres, s'il vous plaît. ẽ pa'kä dö ßiga'rät *a'wäk / ßã* 'filtrö, ßil wu plä.
Eine *Schachtel / Stange* ..., bitte.	*Un paquet / Une cartouche* de ..., s'il vous plaît. *ẽ pa'kä / ün kar'tusch* dö ..., ßil wu plä.
Sind diese Zigaretten *stark / leicht*?	Ces cigarettes sont *fortes / légères*? ße ßiga'rät ßõ *fort / le'schär*?
Ein Päckchen *Pfeifentabak / Zigarettentabak*, bitte.	Un paquet de tabac *pour pipe / à cigarettes*, s'il vous plaît. ẽ pa'kä dö ta'ba *pur pip / a ßiga'rät*, ßil wu plä.
Ein Feuerzeug / Einmal Streichhölzer, bitte.	*Un briquet / Une boîte d'allumettes*, s'il vous plaît. *ẽ bri'kä / ün boat dalü'mät*, ßil wu plä.

Tabakwaren: weitere Wörter

Pfeife	la pipe la pip
Pfeifenreiniger	le cure-pipe lö kür'pip
Zigarillos	les cigarillos *m/ pl* le ßigari'jo
Zigarren	les cigares *m/ pl* le ßi'gar

Sport und Entspannung

Wo geht es zum Strand?
Comment va-t-on à la plage ?

Ich möchte einen Sonnenschirm ausleihen.
Je voudrais louer un parasol.

Erholungsurlaub

Strand und Schwimmbad

info Die grüne Fahne weht bei schönem Wetter; sie signalisiert, dass das Baden innerhalb der Markierungen ungefährlich ist. Die gelbe Fahne zeigt an, dass nur geübtere Schwimmer ins Wasser gehen sollten. Wenn die rote Fahne weht, ist das Baden verboten.
Das Baden oben ohne ist mittlerweile auch in Frankreich an vielen Orten zur Gewohnheit geworden. Generell sollte man auf die Gepflogenheiten am jeweiligen Strand achten und sich in seinem Verhalten danach richten. Nacktbaden sollte man nur an FKK-Stränden.
Es ist nicht erlaubt, Hunde mit an den Strand zu bringen.

Wo geht es zum Strand? — **Comment va-t-on à la plage ?** kɔ'mã wa‿tõ a la plasch?

Darf man hier baden? — **On peut se baigner ici ?** õ pö ßö bä'nje i'ßi?

Gibt es hier Strömungen? — **Est-ce qu'il y a des courants ici ?** äß‿kil‿ja de ku'rã i'ßi?

Wann ist *Ebbe / Flut*? — **Quelle est l'heure de la marée *basse / haute* ?** käl‿ä lör dö la ma're *baß / ot*?

Gibt es hier Quallen? — **Est-ce qu'il y a des méduses ici ?** äß‿kil‿ja de me'düs i'ßi?

Ich möchte … ausleihen. — **Je voudrais louer …** schö wu'drä lu'e …

- einen Liegestuhl — **– une chaise longue.** ün schäs lõg.
- einen Sonnenschirm — **– un parasol.** ẽ para'ßɔl.
- ein Boot — **– un bateau.** ẽ ba'to.

Ich möchte einen *Tauchkurs / Windsurfkurs* machen.	**Je voudrais suivre un cours de *plongée / planche à voile*.** schö wu'drä ßüiwr ẽ kur dö *plõ'sche / plãsch‿a woal.*
Kann man mit einem Fischerboot mitfahren?	**Est-ce qu'on peut se faire emmener par un pêcheur?** äß‿kõ pö ßö fär ãm'ne par ẽ pä'schör?
Wie viel kostet es pro *Stunde / Tag*?	**Quel est le tarif pour *une heure / une journée*?** käl ä lö ta'rif pur *ün‿ör / ün schur'ne*?
Würden Sie bitte kurz auf meine Sachen aufpassen?	**Vous pourriez surveiller mes affaires un instant, s'il vous plaît?** wu pu'rje ßürwä'je mes‿a'fär ẽn‿ẽß'tã, ßil wu plä?
Gibt es hier ein *Freibad / Hallenbad*?	**Est-ce qu'il y a une piscine *découverte / couverte* ici?** äß‿kil‿ja ün pi'ßin *deku'wärt / ku'wärt* i'ßi?
Welche Münzen brauche ich für *das Schließfach / den Haartrockner*?	**Pour le *vestiaire / sèche-cheveux*, qu'est-ce qu'il me faut comme pièces?** pur lö *wäß'tjär / ßäsch schö'wö*, käß‿kil mö fo kɔm pjäß?
Ich möchte … ausleihen.	**Je voudrais louer …** schö wu'drä lu'e …
– eine Badekappe	**– un bonnet de bain.** ẽ bɔ'nä dö bẽ.
– eine Schwimmbrille	**– des lunettes de piscine.** de lü'nät dö pi'ßin.
– ein Handtuch	**– une serviette de bain.** ün ßär'wjät dö bẽ.
Wo ist *der Bademeister / die Erste-Hilfe-Station*?	**Où est le *maître-nageur / poste de secours*?** u ä lö *'mätrö na'schör / pɔßt dö ßö'kur*?

Strand und Schwimmbad: weitere Wörter

baden	**se baigner** ßö bä'nje
Bootsverleih	**la location de bateaux** la lɔka'ßjõ dö ba'to
Dusche	**la douche** la dusch
FKK-Strand	**la plage naturiste** la plasch natü'rißt
Luftmatratze	**le matelas pneumatique** lö mat'la pnöma'tik
Meer	**la mer** la mär
Motorboot	**le bateau à moteur** lö ba'to a mɔ'tör
Muscheln	**les coquillages** *m/ pl* le kɔki'jasch
Nichtschwimmer	**le non-nageur** lö nõna'schör
Rettungsring	**la bouée de sauvetage** la bu'e dö ßow'tasch
Ruderboot	**le bateau à rames** lö ba'to a ram
Sand	**le sable** lö 'ßablö
Sandstrand	**la plage de sable** la plasch dö 'ßablö
Schatten	**l'ombre** *f* 'lõbrö
Schlauchboot	**le bateau pneumatique** lö ba'to pnöma'tik
Schnorchel	**le tube de plongée** lö tüb dö plõ'sche
Schwimmbad	**la piscine** la pi'ßin
schwimmen	**nager** na'sche
Schwimmflossen	**les palmes** *f/ pl* le palm
Schwimmflügel	**les brassards** *m/ pl* **de natation** le bra'ßar dö nata'ßjõ
See *(Binnengewässer)*	**le lac** lö lak
Seeigel	**l'oursin** *m* lur'ßẽ
Segelboot	**le voilier** lö woa'lje
segeln	**faire de la voile** fär dö la woal
Sonne	**le soleil** lö ßɔ'läj
Sonnenbrille	**les lunettes** *f/ pl* **de soleil** le lü'nät dö ßɔ'läj

Sonnencreme	**la crème solaire** la kräm ßɔ'lär
Spielwiese	**l'aire *f* de jeux** lär dö schö
Sprungbrett	**le tremplin** lö trã'plẽ
Strandbad	**la plage gardée** la plasch gar'de
Strandkorb	**le fauteuil-cabine (en osier)** lö fo'töj ka'bin (ãn‿o'sje)
Sturmwarnung	**l'avis *m* de tempête** la'wi dö tã'pät
Surfbrett	**la planche à voile** la plãsch‿a woal
tauchen	**plonger** plõ'sche
Taucheranzug	**la combinaison de plongée** la kõbinä'sõ dö plõ'sche
Taucherausrüstung	**l'équipement *m* de plongée** lekip'mã dö plõ'sche
Taucherbrille	**les lunettes *f/ pl* de plongée** le lü'nät dö plõ'sche
Tretboot	**le pédalo** lö peda'lo
Umkleidekabine	**la cabine** la ka'bin
Wasser	**l'eau *f*** lo
Wasserball	**le ballon de plage** lö ba'lõ dö plasch
Wasserski	**le ski nautique** lö ßki no'tik
Welle	**la vague** la wag
Wellenbad	**la piscine à vagues** la pi'ßin‿a wag

Ballspiele und weitere Spiele

info Sicher haben Sie in Frankreich schon häufig eine Handvoll Leute mit ernsten Mienen um mehrere große und eine kleine Kugel stehen sehen. Es handelte sich dann sicher um eine schwierige Situation beim **boules** oder **pétanque** *(Boules-Spiel)*. **Boules** ist nicht nur ein Sport, dessen Meister in unzähligen **Boules**-Turnieren ermittelt wird, **boules** hat auch eine wichtige soziale Funktion: Auf einem bestimmten Platz, meist unter Platanen, treffen sich **Boules**-Spieler und Zuschauer, die mehr oder weniger sachkundig jeden einzelnen Wurf kommentieren. Auch ohne Sprachkenntnisse können Sie hier mitspielen – vorausgesetzt Sie beherrschen die Regeln. Da man zum Spiel nur 3 große Kugeln und eine kleine Kugel, genannt **cochonnet** *(Schweinchen)*, benötigt, hat fast jeder Franzose einen Satz Kugeln dabei, wenn's zum Picknick geht – denn Mitspieler findet man fast überall.

Darf ich mitspielen? — **Je peux jouer avec vous ?** schö pö schu'e a'wäk wu?

Wir hätten gern einen Squashcourt für eine (halbe) Stunde. — **Nous voudrions retenir un court de squash pour une (demi-)heure.** nu wudri'jõ rötö'nir ẽ kur dö ßkoasch pur ün (dömi)ör.

Wir hätten gern einen *Tennisplatz / Badmintonplatz* für eine (halbe) Stunde. — **Nous voudrions retenir un court de *tennis / badminton* pour une (demi-) heure.** nu wudri'jõ rötö'nir ẽ kur dö *te'niß / badmin'tɔn* pur ün (dömi)ör.

Wo kann man hier *Bowling / Billard* spielen? — **Où est-ce qu'on peut jouer au *bowling / billard* ici ?** u äß‿kõ pö schu'e o *bu'ling / bi'jar* i'ßi?

Ich möchte … ausleihen. — **Je voudrais louer …** schö wu'drä lu'e …

Spiele: weitere Wörter

Ball *(größer)* **le ballon** lö ba'lõ
Ball *(klein)* **la balle** la bal
Basketball **le basket** lö baß'kät
Beach-Volleyball **le beach-volley** lö bitschwɔ'le
Boule-Kugel **la boule (de pétanque)** la bul (dö pe'tãk)
Federball *(Spiel)* **le badminton** lö badmin'tɔn
Fußball *(Ball)* **le football** lö fut'bol
Golfplatz **le terrain de golf** lö te'rẽ dö gɔlf
Handball **le handball** lö ãd'bal
Kegelbahn **le bowling** lö bu'ling
kegeln **jouer aux quilles** schu'e o kij
Mannschaft **l'équipe** *f* le'kip
Minigolfplatz **le mini-golf** lö mini'gɔlf
Schiedsrichter **l'arbitre** *m* lar'bitrö
Sieg **la victoire** la wik'toar
Spiel **le jeu** lö schö
spielen **jouer** schu'e
Squash **le squash** lö ßkoasch
Squashball **la balle de squash** la bal dö ßkoasch
Squashschläger **la raquette de squash** la ra'kät dö ßkoasch
Tennis **le tennis** lö te'niß
Tennisball **la balle de tennis** la bal dö te'niß
Tennisschläger **la raquette de tennis** la ra'kät dö te'niß
Tischtennis **le ping-pong** lö ping'põng
Tor **les buts** *m/ pl* le bü(t)
Tor *(Treffer)* **le but** lö bü(t)
Torwart **le gardien de but** lö gar'djẽ dö büt
unentschieden **match nul** matsch nül
verlieren **perdre** 'pärdrö
Volleyball **le volley** lö wɔ'lä

Schlechtwetteraktivitäten

Haben Sie *Spielkarten / Gesellschaftsspiele*?
Vous avez des *cartes à jouer / jeux de société* ? wus‿a'we de *kart‿a schu'e / schö dö ßɔßje'te*?

Können wir ein Schachspiel ausleihen?
Pouvons-nous louer un jeu d'échec ? puwõ'nu lu'e ẽ schö de'schäk?

Gibt es hier *eine Sauna / ein Fitness-studio*?
Est-ce qu'il y a *un sauna / un club de sport* ici ? äß‿kil‿ja *ẽ ßo'na / ẽ klöb dö ßpor* i'ßi?

Bieten Sie auch *Aerobicstunden / Gymnastikstunden* an?
Est-ce que vous proposez aussi des cours *d'aérobic / de gymnastique* ? äß‿kö wu propo'se o'ßi de kur *daero'bik / dö schimnaß'tik*?

► für Hallenbad: *Strand und Schwimmbad,* Seite 138
► für Museen: *Besichtigungen, Ausflüge,* Seite 158
► für Kino: *Kulturveranstaltungen,* Seite 164
► *Internet-Café,* Seite 78

Aktivurlaub

Wandern und Trekking

Ich möchte *wandern nach … / auf den … steigen.*
Je voudrais *aller à / monter sur le …* schö wu'drä *a'le a / mõ'te ßür lö …*

Können Sie mir eine *leichte / mittelschwere* Tour empfehlen?
Vous pourriez me recommander une randonnée *facile / de difficulté moyenne* ? wu pu'rje mö rökɔmã'de ün rãdɔ'ne *fa'ßil / dö difikül'te moa'jän*?

Wie lange dauert sie ungefähr?
Combien de temps dure-t-elle environ ? kõ'bjẽ dö tã dür‿täl ãwi'rõ?

info In ganz Frankreich gibt es Fernwanderwege, die durch die Abkürzung GR (für Grande Randonnée) und eine Nummer bezeichnet werden. Sie sind gut gesichert und überall einheitlich durch zwei waagerechte Striche in weiß und rot markiert. Auf den Wanderstrecken kann man in den Gîtes d'étape übernachten.

Ist der Weg gut *markiert/gesichert*?	Le chemin est bien *balisé/protégé*? lö schö'mẽ ä bjẽ *bali'se/prɔte'sche*?
Kann man unterwegs einkehren?	Est-ce qu'on trouve en route de quoi se restaurer? äß‿kõ truw ã rut dö koa ßö räß'tore?
Kann ich in diesen Schuhen gehen?	Est-ce que je peux y aller avec ces chaussures? äß‿kö schö pö j‿a'le a'wäk ße scho'ßür?
Gibt es geführte Touren?	Est-ce qu'il y a des randonnées guidées? äß‿kil‿ja de rãdɔ'ne gi'de?
Um wie viel Uhr fährt die letzte Bahn hinunter?	A quelle heure descend le dernier téléphérique? a käl‿ör de'ßã lö där'nje telefe'rik?
Sind wir hier auf dem richtigen Weg nach ...?	Est-ce que c'est le bon chemin pour aller à ...? äß‿kö ßä lö bõ schö'mẽ pur a'le a ...?
Wie weit ist es noch bis ...?	C'est encore loin jusqu'à ...? ßät‿ã'kɔr loẽ schüßka ...?

Wandern und Trekking: weitere Wörter

Berg	**la montagne** la mõ'tanj
Bergführer	**le guide de montagne** lö gid dö mõ'tanj
Bergschuhe	**les chaussures** ***f/ pl*** **de montagne** le scho'ßür dö mõ'tanj
Bergsteigen	**l'alpinisme** ***m*** lalpi'nismö
Bergwacht	**les secours** ***m/ pl*** **(en montagne)** le ßö'kur (ã mõ'tanj)
Gipfel	**le sommet** lö ßɔ'mä
Hütte	**le chalet** lö scha'lä
joggen	**faire du jogging** fär dü dschɔ'ging
Jogging	**le jogging** lö dschɔ'ging
klettern	**escalader** äßkala'de
Proviant	**les vivres** le 'wiwrö
Schlucht	**les gorges** ***f/ pl*** le gɔrsch
Schutzhütte	**le refuge** lö rö'füsch
schwindelfrei sein	**ne pas avoir le vertige** nö pas‿a'woar lö wär'tisch
Seil	**la corde** la kɔrd
Seilbahn	**le téléphérique** lö telefe'rik
Sessellift	**le télésiège** lö tele'ßjäsch
Steigeisen	**les crampons** ***m/ pl*** le krã'põ
Teleskopstöcke	**les bâtons** ***m/ pl*** **télescopiques** le ba'tõ teleßko'pik
Wanderkarte	**la carte de randonnée** la kart dö rãdɔ'ne
wandern	**faire des randonnées** fär de rãdɔ'ne
Wanderschuhe	**les chaussures** ***f/ pl*** **de randonnée** le scho'ßür dö rãdɔ'ne
Wanderweg	**le sentier de randonnée** lö ßã'tje dö rãdɔ'ne

Rad fahren

Ich möchte ein *Fahrrad / Mountainbike* mieten.	**Je voudrais louer *un vélo / une mountain bike*.** schö wu'drä lu'e ẽ *we'lo / ün maun'tin 'baik.*

info Wenn man sich ein Fahhrad ausleiht, wird man sicher gefragt werden, welchen Radtyp man bevorzugt: *Das Stadtfahrrad* **le vélo de ville**, *das Geländerad* **le vélo tout terrain (VTT)** oder *das Tourenrad* **le vélo tout chemin** (VTC).

Ich hätte gern ein Fahrrad mit … Gängen.	**Je voudrais un vélo avec … vitesses.** schö wu'drä ẽ we'lo a'wäk … wi'täß.
Haben Sie auch ein Fahrrad mit Rücktritt?	**Avez-vous aussi un vélo avec rétropédalage ?** awe'wu o'ßi ẽ we'lo a'wäk retropeda'lasch?
Können Sie mir die Sattelhöhe einstellen?	**Pourriez-vous me régler la hauteur de la selle ?** purje'wu mö re'gle la o'tör dö la ßäl?
Ich möchte es für … mieten.	**Je voudrais le louer pour …** schö wu'drä lö lu'e pur …
– einen Tag – zwei Tage – eine Woche	**– une journée.** ün schur'ne. **– deux jours.** dö schur. **– une semaine.** ün ßö'män.
Bitte geben Sie mir auch einen Fahrradhelm.	**Donnez-moi aussi un casque (de vélo), s'il vous plaît.** dɔne'moa o'ßi ẽ kaßk (dö we'lo), ßil wu plä.
Haben Sie eine Radkarte?	**Avez-vous une carte de randonnée à vélo ?** awe'wu ün kart dö rãdɔ'ne a we'lo?

Rad fahren: weitere Wörter

Fahrradflickzeug	**le set de réparation pour vélo** lö ßät dö repara'ßjõ pur we'lo
Fahrradkorb	**le panier porte-bagages** lö pa'nje pɔrtba'gasch
Handbremse	**le frein à main** lö frẽ a mẽ
Kinderfahrrad	**le vélo pour enfant** lö we'lo pur ã'fã
Kindersitz	**le siège pour enfant** lö ßjäsch pur ã'fã
Licht	**le feu** lö fö
Luftpumpe	**la pompe à air** la põp‿a är
Radweg	**la piste cyclable** la pißt ßi'klablö
Reifen	**le pneu** lö pnö
Reifenpanne	**l'éclatement de pneu** leklat'mã dö pnö
Rücklicht	**le feu arrière** lö fö a'rjär
Sattel	**la selle** la ßäl
Satteltaschen	**les sacoches** *f/ pl* le ßa'kɔsch
Schlauch	**la chambre à air** la schãbr‿a är
Ventil	**la valve** la 'walwö
Vorderlicht	**le feu avant** lö fö a'wã

Adventure-Sports

Ballonfliegen	**le ballon** lö ba'lõ
Bungee-Jumping	**le saut à l'élastique** lö ßo a lelaß'tik
Drachenfliegen	**le deltaplane** lö dälta'plan
Fallschirmspringen	**le saut en parachute** lö ßo ã para'schüt
Freeclimbing	**la varappe** la wa'rap
Gleitschirmfliegen	**le parapente** lö para'pãt
Kajak	**le kayak** lö ka'jak
Kanu	**le canoë** lö kano'e
Paragliding	**le parapente** lö para'pãt

Rafting	**le rafting** lö raf'ting
Regatta	**la régate** la re'gat
reiten	**faire du cheval** fär dü schö'wal
Ruderboot	**le bateau à rames** lö ba'to a ram
Segelfliegen	**le vol à voile** lö wɔl a woal
Segelflugzeug	**le planeur** lö pla'nör
segeln	**faire de la voile** fär dö la woal
Thermik	**le courant ascensionnel** lö ku'rã aßãßjɔ'näl

Wintersport

Ich möchte einen Skipass für …
Je voudrais un forfait pour … schö wu'drä ẽ fɔr'fä pur …

– einen (halben) Tag.
– une (demi-)journée. ün (dö'mi)schur'ne

– zwei Tage.
– deux jours. dö schur.

– eine Woche.
– une semaine. ün ßö'män.

Il vous faut une photo d'identité.
Sie brauchen ein Passbild.

Ab wie viel Uhr gilt der Halbtagespass?
Le forfait demi-journée est valable à partir de quelle heure ? lö fɔr'fä dömischur'ne ä wa'labl‿a par'tir dö käl‿ör?

Ab / Bis wie viel Uhr gehen die Lifte?
Les remontées marchent *à partir de / jusqu'à* quelle heure ? le römõ'te marsch *a par'tir dö / schüßka* käl‿ör?

Wann ist die letzte Talfahrt?
La dernière cabine redescend à quelle heure ? la där'njär ka'bin röde'ßã a käl‿ör?

Ich möchte einen Skikurs machen.
Je voudrais m'inscrire à un cours de ski. schö wu'drä mẽß'krir a ẽ kur dö ßki.

Ich bin *Anfänger / ein mittelmäßiger Fahrer.*	**Je suis un skieur *débutant / de niveau moyen.*** schö ßüis‿ẽ ßki'jör *debü'tã / dö ni'wo moa'jẽ.*
Ich möchte … ausleihen.	**Je voudrais louer …** schö wu'drä lu'e …
– Langlaufski	**– des skis de fond.** de ßki dö fõ.
– Langlaufschuhe	**– des chaussures de ski de fond** de scho'ßür dö ßki dö fõ
– Alpinski	**– des skis de descente.** de ßki dö de'ßãt.
– Skischuhe Größe …	**– des chaussures de ski, pointure …** de scho'ßür dö ßki, poẽ'tür …
– ein Snowboard	**– un snowboard.** ẽ ßno'bɔrd.
– Schlittschuhe Größe …	**– des patins à glace, pointure …** de pa'tẽ a glaß, poẽ'tür …
– einen Schlitten	**– une luge.** ün lüsch.

Wintersport: weitere Wörter

Bindung	**la fixation** la fikßa'ßjõ
Eisstockschießen	**le curling** lö kör'ling
Lawine	**l'avalanche *f*** lawa'lãsch
Loipe	**la piste de ski de fond** la pißt dö ßki dö fõ
rodeln	**faire de la luge** fär dö la lüsch
Schlepplift	**le téléski** lö teleß'ki
Schnee	**la neige** la näsch
Sessellift	**le télésiège** lö tele'ßjäsch
Skibrille	**les lunettes *f/ pl* de ski** le lü'nät dö ßki
Skilehrer	**le moniteur de ski** lö mɔni'tör dö ßki
Skistöcke	**les bâtons *m/ pl* de ski** le ba'tõ dö ßki
Skiwachs	**le fart** lö far

Beauty und Wellness

Beim Friseur

Ich hätte gerne einen Termin für …	**Je voudrais un rendez-vous pour …** schö wu'drä ẽ rãde'wu pur …
Qu'est-ce qu'on vous fait ?	Was wird bei Ihnen gemacht?
Ich möchte …	**Je voudrais …** schö wu'drä …
– mir die Haare schneiden lassen.	**– me faire couper les cheveux.** mö fär ku'pe le schö'wö.
– eine Dauerwelle.	**– une permanente.** ün pärma'nãt.
– Strähnchen (machen).	**– (me faire) faire des mèches.** (mö fär) fär de mäsch.
– eine Tönung.	**– une teinture.** ün tẽ'tür.
Schneiden, waschen und föhnen, bitte.	**Une coupe, un shampooing et un brushing, s'il vous plaît.** ün kup, ẽ schã'poẽ e ẽ brö'sching, ßil wu plä.
Bitte nur schneiden.	**Une coupe seulement, s'il vous plaît.** ün kup ßöl'mã, ßil wu plä.
Nicht zu kurz, bitte.	**Pas trop court, s'il vous plaît.** pa tro kur, ßil wu plä.
Etwas kürzer, bitte.	**Un peu plus court, s'il vous plaît.** ẽ pö plü kur, ßil wu plä.
Ganz kurz, bitte.	**Très court, s'il vous plaît.** trä kur, ßil wu plä.
Den Scheitel bitte *links / rechts*.	**La raie à *gauche / droite*, s'il vous plaît.** la rä a *gosch / droat*, ßil wu plä.
Vielen Dank, so ist es gut.	**Merci beaucoup, c'est très bien.** mär'ßi bo'ku, ßä trä bjẽ.

Beim Friseur: weitere Wörter

Bart	**la barbe** la 'barbö
färben	**faire une teinture** fär ün tẽ'tür
föhnen	**faire un brushing** fär ẽ brö'sching
Frisur	**la coiffure** la koa'für
Gel	**le gel** lö schäl
Haarspray	**la laque à cheveux** la lak‿a schö'wö
(Haar)spülung	**le lavage (des cheveux)** lö la'wasch (de schö'wö)
Locken	**les boucles *f/ pl* (de cheveux)** le 'buklö (dö schö'wö)
rasieren	**raser** ra'se
Schnurrbart	**la moustache** la muß'tasch
Schuppen	**les pellicules *f/ pl*** le päli'kül
waschen	**faire un shampooing** fär ẽ schã'poẽ

Bei der Kosmetikerin

Ich hätte gerne eine Gesichtsbehandlung.
Je voudrais un soin du visage. schö wu'drä ẽ ßoẽ dü wi'sasch.

Ich habe …
J'ai … schä …

- fettige Haut. – une peau grasse. ün po graß.
- trockene Haut. – une peau sèche. ün po ßäsch.
- Mischhaut. – une peau mixte. ün po mikßt.
- empfindliche Haut. – une peau sensible. ün po ßã'ßiblö.

Bitte verwenden Sie nur *parfümfreie / allergiegetestete* Produkte.
N'utilisez que des produits *sans parfum / dermatologiquement testés*, s'il vous plaît. nütili'se kö de prɔ'düi *ßã par'fẽ / därmatɔlɔschik'mã täß'te*, ßil wu plä.

Machen Sie auch *Gesichtsmassagen / Lymphdrainagen*?	Faites-vous aussi des *massages du visage / drainages lymphatiques* ? fät'wu o'ßi de *ma'ßasch dü wi'sasch / drä'nasch lẽfa'tik*?
Könnten Sie mir die Augenbrauen zupfen?	Est-ce que vous pouvez m'épiler les sourcils ? äß‿kö wu pu'we mepi'le le ßur'ßi?
Ich möchte mir die *Wimpern / Augenbrauen* färben lassen.	Je voudrais me faire teindre les *cils / sourcils*. schö wu'drä mö fär 'tẽdrö le *ßil / ßur'ßi*.
Bitte epilieren Sie mir die *Unterschenkel / Beine*.	Je voudrais une épilation de la *demi jambe / jambe*, s'il vous plaît. schö wu'drä ün‿epila'ßjõ dö la *dömi'schãb / schãb*, ßil wu plä.
Bitte eine *Maniküre / Pediküre*.	Une *manucure / pédicure*, s'il vous plaît. ün *manü'kür / pedi'kür*, ßil wu plä.

Bei der Kosmetikerin: weitere Wörter

Ampullenkur	**la cure vitaminique par ampoules** la kür witami'nik par ã'pul
Dekolleté	**le décolleté** lö dekɔl'te
Feuchtigkeitsmaske	**le masque hydratant** lö maßk‿idra'tã
Gesicht	**le visage** lö wi'sasch
Hals	**le cou** lö ku
Hautdiagnose	**le diagnostic du type de peau** lö djagnoß'tik dü tip dö po
Maske	**le masque** lö maßk
Packung	**la compresse** la kõ'präß
Peeling	**le peeling** lö pi'ling
Reinigung	**le nettoyage** lö netoa'jasch

Wohlfühlprogramm

Akupunktur	**l'acuponcture** *f* laküpõk'tür
Algenbad	**le bain aux algues** lö bẽ os‿alg
Aromaöl	**l'huile** *f* **parfumée** lüil parfü'me
Ayurveda	**la médecine ayurvédique** la med'ßin ajürwe'dik
Dampfbad	**le bain de vapeur** lö bẽ dö wa'pör
Entschlackung	**l'épuration** *f* lepüra'ßjõ
Fango	**la boue** la bu
Fußreflexzonenmassage	**le massage des zones de réflexe du pied** lö ma'ßasch de son dö re'fläkß dü pje
Heubad	**le bain de foin** lö bẽ dö foẽ
Kaltwasseranwendungen	**l'hydrothérapie à l'eau froide** lidrotera'pi a lo froad
Lymphdrainage	**le drainage lymphatique** lö drä'nasch lẽfa'tik
Massage	**le massage** lö ma'ßasch
Meditation	**la méditation** la medita'ßjõ
Sauna	**le sauna** lö ßo'na
Schlammbad	**le bain de boue** lö bẽ dö bu
Solarium	**le solarium** lö ßɔla'rjɔm
Thermalbad	**le bain thermal** lö bẽ tär'mal
Wechselbäder	**les bains alternés** *m/ pl* **(chauds et froids)** le bẽ altär'ne (scho e froa)
Yoga	**le yoga** lö jo'ga

Kultur und Nachtleben

Wo ist die Touristeninformation?
Où se trouve l'office du tourisme ?

Wo kann man hier tanzen gehen?
Où est-ce qu'on peut aller danser par ici ?

Sehenswertes

info Das Französische Fremdenverkehrsamt *Maison de la France* bietet wichtige Reiseinformationen auch online. Die Web-Adresse lautet: http://www.franceguide.com.
Die Anschrift in Deutschland ist: Maison de la France, 60325 Frankfurt, Zeppelinallee 37, Tel. 0900 1 57 00 25, E-Mail: info@franceguide.com.

Touristeninformation

Wo ist die Touristeninformation?

Où se trouve l'office du tourisme ? u ßö truw lɔ'fiß dü tu'rismö?

Ich möchte …

Je voudrais … schö wu'drä …

- einen Plan von der Umgebung.
- einen Stadtplan.
- einen U-Bahn-Plan.
- einen Veranstaltungskalender.

- **un plan des environs.** ẽ plã des‿ãwi'rõ.
- **un plan de la ville.** ẽ plã dö la wil.
- **un plan du métro.** ẽ plã dü me'tro.
- **un calendrier des manifestations.** ẽ kalãdri'je de manifäßta'ßjõ.

Gibt es *Stadtrundfahrten / Stadtführungen*?

Est-ce qu'il y a des *tours guidés de la ville / visites guidées de la ville* ? äß‿kil‿ja de *tur gi'de dö la wil / wi'sit gi'de dö la wil*?

Haben Sie auch Prospekte auf Deutsch?

Vous avez aussi des prospectus en allemand ? wus‿a'we o'ßi de prɔßpäk'tüß ãn‿al'mã?

Was kostet die *Rundfahrt / Führung*?

Combien coûte *le tour guidé / la visite guidée* ? kõ'bjẽ kut *lö tur gi'de / la wi'sit gi'de*?

Wie lange dauert die *Rundfahrt / Führung*?	Combien de temps dure *le tour guidé / la visite guidée* ? kõ'bjẽ dö tã dür *lö tur gi'de / la wi'sit gi'de*?
Bitte *eine Karte / zwei Karten* für die Stadtrundfahrt.	*Un billet / Deux billets*, s'il vous plaît, pour le tour guidé de la ville. *ẽ bi'jä / dö bi'jä*, ßil wu plä, pur lö tur gi'de dö la wil.

info In Paris können Sie mit den bateaux-mouches, gläsernen Ausflugsbooten, die Stadt von der Seine aus besichtigen. Anlegestellen gibt es am Pont Neuf, Pont de l'Alma und Pont d'Iéna, unterhalb des Eiffelturms.

Welche Sehenswürdigkeiten gibt es hier?	Qu'est-ce qu'il y a à voir ici ? käß‿kil‿ja a woar i'ßi?
Wann ist … geöffnet?	Quelles sont les heures d'ouverture de … ? käl ßõ les‿ör duwär'tür dö …?
Bitte für den Ausflug morgen nach … *einen Platz / zwei Plätze*.	*Une place / Deux places* pour l'excursion de demain à …, s'il vous plaît. *ün plaß / dö plaß* pur läkßkür 'ßjõ dö dö'mẽ a …, ßil wu plä.
Wann / Wo treffen wir uns.	*Quand / Où* est-ce que nous nous recontrons ? *kãt / u* äß‿kö nu nu rãkõtrõ?
Besichtigen wir auch …?	Est-ce que nous allons aussi visiter … ? äß‿kö nus‿a'lõ o'ßi wisi'te …?

► *Zimmersuche,* Seite 26; *Öffentlicher Nahverkehr,* Seite 61; *Fragen nach dem Weg,* Seite 40

Besichtigungen, Ausflüge

Wann ist … geöffnet?	**Quelles sont les heures d'ouverture de … ?** käl ßõ les‿ör duwär'tür dö …?
Wie viel kostet *der Eintritt / die Führung*?	**Combien coûte *l'entrée / la visite guidée* ?** kõ'bjẽ kut *lã'tre / la wi'sit gi'de*?
Gibt es auch Führungen auf Deutsch?	**Est-ce qu'il y a aussi des visites guidées en allemand ?** äß‿kil‿ja o'ßi de wi'sit gi'de ãn‿al'mã?

info Der Besucherpass „Paris Museum Pass" ermöglicht unbegrenzten Zutritt zu ca. 70 Museeen und Denkmälern in Paris und im Umkreis. Er ist wahlweise für zwei, vier oder sechs Tage gültig. Sie können ihn kaufen: beim Pariser Fremdenverkehrsamt, in den Metrostationen oder bei den Sehenswürdigkeiten selbst.

Gibt es eine Ermäßigung für …	**Est-ce qu'il y a une réduction pour …** äß‿kil‿ja ün redük'ßjõ pur …
– Familien?	**– les familles nombreuses ?** le fa'mij nõ'brös?
– Kinder?	**– les enfants ?** les‿ã'fã?
– Senioren?	**– les personnes du troisième âge ?** le pär'ßɔn dü troa'sjäm‿asch?
– Studenten?	**– les étudiants ?** les‿etü'djã?
Wann beginnt die Führung?	**A quelle heure commence la visite ?** a käl‿ör kɔ'mãß la wi'sit?
Eine Karte / Zwei Karten bitte.	***Un billet / Deux billets*, s'il vous plaît.** *ẽ bi'jä / dö bi'jä*, ßil wu plä.

info Die Museen sind in der Regel von 10 bis 19 Uhr geöffnet. Größere Museen bieten mittwochs und donnerstags meist auch Abendöffnungen. Städtische Museen sind in der Regel am Montag geschlossen, staatliche Museen hingegen am Dienstag.

Zwei Erwachsene, zwei Kinder, bitte.	**Deux adultes, deux enfants, s'il vous plaît.** dös‿a'dült, dös‿ã'fã, ßil wu plä.
Darf man fotografieren?	**Est-ce qu'on a le droit de prendre des photos ?** äß‿kõn‿a lö droa dö 'prãdrö de fɔ'to?
Haben Sie einen *Katalog / Führer*?	**Vous avez un *catalogue / guide* ?** wus‿a'we ẽ *kata'lɔg / gid*?
Was für ein *Gebäude / Denkmal* ist das?	**Qu'est-ce que *c'est que cet édifice / ce monument* ?** käßö kä ßä *ßät‿edifiß / ßö mɔnümã*?

Besichtigungen, Ausflüge: weitere Wörter

Abtei	**l'abbaye** *f* labe'i
Altstadt	**la vieille ville** la wjäj wil
Amphitheater	**l'amphithéâtre** *m* lãfite'atrö
antik	**antique** ã'tik
Aquädukt	**l'aqueduc** *m* lak'dük
Arena	**l'arène** *f* la'rän
Ausflugsboot	**la vedette d'excursion** la wö'dät däkßkür'ßjõ
Ausgrabungen	**les fouilles** *f/ pl* le fuj
Ausstellung	**l'exposition** *f* läkßposi'ßjõ
Berg	**la montagne** la mõ'tanj
Bibliothek	**la bibliothèque** la biblio'täk
Bild	**le tableau** lö ta'blo
Botanischer Garten	**le jardin botanique** lö schar'dẽ bɔta'nik
Brücke	**le pont** lö põ
Brunnen	**la fontaine** la fõ'tän
Burg	**le château fort** lö scha'to fɔr
Denkmal	**le monument** lö mɔnü'mã
Dom	**la cathédrale** la kate'dral
Festung	**le fort** lö fɔr
filmen	**filmer** fil'me
Flohmarkt	**le marché aux puces** lö mar'sche o püß
Fluss	**la rivière** la ri'wjär
Fremdenführer	**le guide** lö gid
Fremdenverkehrsamt	**le syndicat d'initiative** lö ßẽdi'ka dinißja'tiw
Fresko	**la fresque** la fräßk
Friedhof	**le cimetière** lö ßim'tjär
Fußgängerzone	**la zone piétonne** la son pje'tɔn
Galerie	**la galerie** la gal'ri
Gallier	**les Gaulois** *m/ pl* le go'loa

Garten	**le jardin** lö schar'dẽ
Gebäude	**l'édifice** *m* ledi'fiß
Gebirge	**les montagnes** *f/ pl* le mõ'tanj
Gemälde	**la peinture** la pẽ'tür
geöffnet	**ouvert** u'wär
geschlossen	**fermé** fär'me
Glockenspiel	**le carillon** lö kari'jõ
Glockenturm	**le clocher** lö klo'sche
Gobelin	**la tapisserie** la tapiß'ri
Gottesdienst	**l'office** *m* **religieux** lɔ'fiß röli'schjö
Grab	**la tombe** la tõb
Hafen	**le port** lö pɔr
Halbinsel	**la péninsule** la penẽ'ßül
Hauptstadt	**la capitale** la kapi'tal
Haus	**la maison** la mä'sõ
Höhle	**la grotte** la grɔt
Hotelverzeichnis	**la liste des hôtels** la lißt des‿o'täl
Hügel	**la colline** la kɔ'lin
Innenstadt	**le centre-ville** lö 'ßãtrö wil
Inschrift	**l'inscription** *f* lẽßkrip'ßjõ
Insel	**l'île** *f* lil
Jahrhundert	**le siècle** lö 'ßjäklö
Kapelle	**la chapelle** la scha'päl
Katakomben	**les catacombes** *f/ pl* le kata'kõb
Katalog	**le catalogue** lö kata'lɔg
Kathedrale	**la cathédrale** la kate'dral
keltisch	**celtique** ßäl'tik
Kirche	**l'église** *f* le'glis
Kloster *(Mönche)*	**le monastère** lö mɔnaß'tär
Kloster *(Nonnen)*	**le couvent** lö ku'wã
König	**le roi** lö roa
Königin	**la reine** la rän
Kopie	**la copie** la ko'pi
Kreuzgang	**le cloître** lö 'kloatrö
Malerei	**la peinture** la pẽ'tür

Markt	**le marché** lö mar'sche
Markthalle	**les halles** *f/ pl* le al
Mausoleum	**le mausolée** lö mosɔ'le
Minarett	**le minaret** lö mina'rä
Mittelalter	**le moyen âge** lö moajän‿'asch
Mosaik	**la mosaïque** la mɔsa'ik
Moschee	**la mosquée** la mɔß'ke
Museum	**le musée** lö mü'se
Nationalpark	**le parc national** lö park naßjɔ'nal
Naturschutzgebiet	**le site naturel protégé** lö ßit natü'räl prɔte'sche
Opernhaus	**l'Opéra** *m* lɔpe'ra
Original	**l'original** *m* lɔrischi'nal
Palast	**le palais** lö pa'lä
Park	**le parc** lö park
Platz	**la place** la plaß
Porträt	**le portrait** lö pɔr'trä
Rathaus	**l'hôtel** *m* **de ville** lo'täl dö wil
restauriert	**restauré** räßto're
römisch	**romain** rɔ'mẽ
Ruine	**les ruines** *f/ pl* le rüin
Saal	**la salle** la ßal
Sammlung	**la collection** la kɔläk'ßjõ
Sandstein	**le grès** lö grä
Säule	**la colonne** la kɔ'lɔn
Schatzkammer	**le trésor** lö tre'sɔr
Schloss	**le château** lö scha'to
Schlucht	**les gorges** *f* le gɔrsch
See *(Binnengewässer)*	**le lac** lö lak
Skulptur	**la sculpture** la ßkül'tür
Stadion	**le stade** lö ßtad
Stadt	**la ville** la wil
Stadtmauer	**les remparts** *m/ pl* le rã'par
Stadtteil	**le quartier** lö kar'tje
Stadttor	**la porte de la ville** la pɔrt dö la wil

Sternwarte	**l'observatoire** *m* lɔpßärwa'toar
Synagoge	**la synagogue** la ßina'gɔg
Tal	**la vallée** la wa'le
Theater	**le théâtre** lö te'atrö
Töpferei	**la poterie** la pɔt'ri
Tor	**la porte** la pɔrt
Triumphbogen	**l'arc** *m* **de triomphe** lark dö tri'õf
Turm	**la tour** la tur
Universität	**l'université** *f* lüniwärßi'te
Volkskundemuseum	**le musée des arts populaires** lö mü'se des‿ar pɔpü'lär
Vulkan	**le volcan** lö wɔl'kã
Wald	**la forêt** la fɔ'rä
Wallfahrtsort	**le pèlerinage** lö pälri'nasch
Wasserfall	**la cascade** la kaß'kad
Weinberge	**les vignobles** *m/ pl* le wi'njɔblö
Weingut	**la propriété vinicole** la prɔprije'te wini'kɔl
Weinkeller	**le caveau à vin** lö ka'wo a wẽ
Weinprobe	**la dégustation de vin** la degußta'ßjõ dö wẽ
Zoo	**le zoo** lö so

Kulturveranstaltungen

Welche Veranstaltungen finden *diese/nächste* Woche statt?	**Qu'est-ce qu'il y a *cette semaine/la semaine prochaine* comme manifestations?** käß‿kil‿ja *ßät ßö'män/la ßö'män prɔ'schän* kɔm manifäßta'ßjõ?
Haben Sie einen Veranstaltungskalender?	**Est-ce que vous avez un calendrier des manifestations?** äß‿kö wus‿a'we ẽ kalãdri'je de manifäßta'ßjõ?
Was wird heute gespielt?	**Qu'est-ce qu'on joue aujourd'hui?** käß‿kõ schu oschur'düi?
Wo bekommt man Karten?	**Où est-ce qu'on prend les billets?** u äß‿kõ prã le bi'jä?
Wann beginnt ...	**A quelle heure commence ...** a käl‿ör kɔ'mãß ...
– die Vorstellung?	**– la représentation ?** la röpresãta'ßjõ?
– das Konzert?	**– le concert?** lö kõ'ßär?
– der Film?	**– le film?** lö film?
Ab wann ist Einlass?	**A quelle heure est-ce qu'on ouvre les portes?** a käl‿ör äß‿kõn‿'uwrö le pɔrt?
Sind die Plätze nummeriert?	**Les places sont numérotées?** le plaß ßõ nümerɔ'te?
Kann man Karten reservieren lassen?	**On peut réserver?** õ pö resär'we?

info Programmführer mit Veranstaltungsplänen für Feste, Trödelmärkte, Ausstellungen usw. gibt es an größeren Kiosken. Auch die Fremdenverkehrsbüros bieten Übersichten über die wichtigsten Veranstaltungen der Stadt oder Region.

Ich hatte Karten vorbestellt auf den Namen …	**J'ai réservé des places au nom de *Monsieur / Madame* …** schä resär'we de plaß o nõ dö *mö'ßjö / ma'dam* …
Haben Sie noch Karten für *heute / morgen*?	**Vous avez encore des billets pour *aujourd'hui / demain*?** wus‿a'we ã'kɔr de bi'jä pur *oschur'düi / dö'mẽ*?
Bitte eine Karte für …	**Un billet pour …, s'il vous plaît.** ẽ bi'jä pur …, ßil wu plä.
– heute.	**– aujourd'hui** oschur'düi
– heute Abend.	**– ce soir** ßö ßoar
– morgen.	**– demain** dö'mẽ
– die Vorstellung um … Uhr.	**– la séance de … heures** la ße'ãß dö … ör
– den Film um … Uhr.	**– le film de … heures** lö film dö … ör
Wie viel kostet eine Karte?	**Quel est le prix des billets?** käl ä lö pri de bi'jä?
Gibt es eine Ermäßigung für …	**Est-ce qu'il y a une réduction pour …** äß‿kil‿ja ün redük'ßjõ pur …
– Kinder?	**– les enfants?** les‿ã'fã?
– Senioren?	**– les personnes du troisième âge?** le pär'ßɔn dü troa'sjäm‿asch?
– Studenten?	**– les étudiants?** les‿etü'djã?
Wann ist die Vorstellung zu Ende?	**À quelle heure se termine la représentation?** a käl‿ör ßö tär'min la röpresãta'ßjõ?
Ich möchte ein Opernglas ausleihen.	**Je voudrais louer des jumelles.** schö wu'drä lu'e de schü'mäl.

An der Kasse

à droite	rechts
à gauche	links
le balcon	Rang
la caisse	Abendkasse
complet	ausverkauft
le deuxième balcon	zweiter Rang
la galerie	Galerie
la location	Vorverkauf
la loge	Loge
le milieu	Mitte
le parterre	Parkett
la place	Platz
la place debout	Stehplatz
le premier balcon	erster Rang
le rang	Reihe

Kulturveranstaltungen: weitere Wörter

Akt	**l'acte** *m* 'laktö
Ballett	**le ballet** lö ba'lä
Chor	**le chœur** lö kör
Dirigent	**le chef d'orchestre** lö schäf dɔr'käßtrö
Festspiele	**le festival** lö fäßti'wal
Folkloreabend	**la soirée folklorique** la ßoa're fɔlklɔ'rik
Freilichtbühne	**le théâtre de plein air** lö te'atrö dö plän‿är
Garderobe	**le vestiaire** lö wäß'tjär
Inszenierung	**la mise en scène** la mis‿ã ßän
Kabarett	**le cabaret** lö kaba'rä
Kasse	**la caisse** la käß
Kino	**le cinéma** lö ßine'ma

Komponist	**le compositeur** lö kõposi'tör
Komponistin	**la compositrice** la kõposi'triß
Liederabend	**le récital de chant** lö reßi'tal dö schã
Musical	**la comédie musicale** la kome'di müsi'kal
Musik	**la musique** la mü'sik
Oper	**l'opéra** *m* lɔpe'ra
Operette	**l'opérette** *f* lɔpe'rät
Orchester	**l'orchestre** *m* lɔr'käßtrö
Originalfassung	**la version originale** la wär'ßjõ ɔrischi'nal
Pause	**l'entracte** *m* lã'traktö
Platz	**la place** la plaß
Popkonzert	**le concert pop** lö kõ'ßär pɔp
Premiere	**la première** la prö'mjär
Programmheft	**le programme** lö prɔ'gram
Regisseur *(Film)*	**le réalisateur** lö realisa'tör
Regisseur *(Theater)*	**le metteur en scène** lö mä'tör ã ßän
Rockkonzert	**le concert rock** lö kõ'ßär rɔk
Sänger	**le chanteur** lö schã'tör
Sängerin *(Lieder)*	**la chanteuse** la schã'tös
Sängerin *(Oper)*	**la cantatrice** la kãta'triß
Schauspieler	**l'acteur** *m* lak'tör
Schauspielerin	**l'actrice** *f* lak'triß
Solist	**le soliste** lö ßɔ'lißt
Solistin	**la soliste** la ßɔ'lißt
Spielfilm	**le film** lö film
synchronisiert	**postsynchronisé** pɔßtßẽkrɔni'se
Tänzer	**le danseur** lö dã'ßör
Tänzerin	**la danseuse** la dã'ßös
Theater	**le théâtre** lö te'atrö
Theaterstück	**la pièce de théâtre** la pjäß dö te'atrö
Untertitel	**les sous-titres** *m/ pl* le ßu'titrö
Varieté	**les variétés** *f/ pl* le warje'te
Zirkus	**le cirque** lö 'ßirkö

Abends ausgehen

Was kann man hier abends unternehmen?	**Où est-ce qu'on peut sortir le soir par ici ?** u äß‿kõ pö ßɔr'tir lö ßoar par i'ßi?
Gibt es hier eine *nette Kneipe / Disco*?	**Est-ce qu'il y a *un bistrot sympathique / une discothèque* par ici ?** äß‿kil‿ja *ẽ biß'tro ßẽpa'tik / ün dißko'täk* par i'ßi?
Wo kann man hier tanzen gehen?	**Où est-ce qu'on peut aller danser par ici ?** u äß‿kõ pö a'le dã'ße par i'ßi?
Trägt man dort Abendgarderobe?	**Il faut se mettre en tenue de soirée ?** il fo ßö mätr ã tö'nü dö ßoa're?
Ist hier noch frei?	**Cette place est encore libre ?** ßät plaß ät‿ã'kor 'librö?

► *Essen und Trinken,* Seite 79

Was *möchten Sie / möchtest du* trinken?	**Qu'est-ce que *vous voulez / tu veux* boire ?** käß‿kö *wu wu'le / tü wö* boar?

Abends ausgehen: weitere Wörter

Bar	**le bar** lö bar
Blaskapelle	**la fanfare** la fã'far
Cocktail	**le cocktail** lö kɔk'täl
Drink	**la boisson** la boa'ßõ
laut	**bruyant** brü'jã
Livemusik	**la musique jouée en direct** la mü'sik schu'e ã di'räkt
Spielkasino	**le casino** lö kasi'no
Tanzabend	**la soirée dansante** la ßoa're dã'ßãt
Theke	**le bar** lö bar

Behörden

Haben Sie Post für mich?
Vous avez du courrier pour moi ?

Ich möchte einen Reisescheck einlösen.
Je voudrais encaisser un chèque de voyage.

Bank

Entschuldigen Sie bitte, wo ist hier eine Bank?

Pardon, vous pourriez m'indiquer une banque dans le coin? par'dõ, wu pu'rje mẽdi'ke ün bãk dã lö koẽ?

Wo kann ich Geld wechseln?

Où est-ce que je peux changer de l'argent? u äß‿kö schö pö schã'sche dö lar'schã?

info In der Regel sind Banken von 9 bis 17 Uhr geöffnet; samstags von 9 bis 14 Uhr.

Ich möchte ... *Euro / Schweizer Franken* umtauschen.

Je voudrais changer ... *euros / francs suisses*. schö wu'drä schã'sche ... *ö'ro / frã ßüiß*.

Wie hoch sind die Gebühren?

A combien s'élèvent les frais? a kõ'bjẽ ße'läw le frä?

Wie ist der Wechselkurs heute?

Quel est le taux de change aujourd'hui? käl ä lö to dö schãsch oschur'düi?

Ich möchte einen Reisescheck einlösen.

Je voudrais encaisser un chèque de voyage. schö wu'drä ãkä'ße ẽ schäk dö woa'jasch.

Vos papiers, s'il vous plaît.

Ihren Ausweis bitte.

Une signature ici, s'il vous plaît.

Unterschreiben Sie bitte hier.

En quelle coupure voulez-vous votre argent?

Wie möchten Sie das Geld haben?

In kleinen Scheinen, bitte.	**Donnez-moi des petites coupures, s'il vous plaît.** dɔne'moa de pö'tit ku'pür, ßil wu plä.
Geben Sie mir bitte auch etwas Kleingeld.	**Donnez-moi aussi un peu de monnaie, s'il vous plaît.** dɔne'moa o'ßi ẽ pö dö mɔ'nä, ßil wu plä.

Bank: weitere Wörter

Banküberweisung	**le virement (bancaire)** lö wir'mã (bã'kär)
Betrag	**le montant** lö mõ'tã
Euro	**l'euro** lö'ro
Eurochequekarte (EC-Karte)	**la carte Eurochèque (la carte EC)** la kart öro'schäk (la kart ö'ße)
Geheimzahl	**le code secret** lö kɔd ßö'krä
Geldautomat	**le distributeur de billets** lö dißtribü'tör dö bi'je
Kartennummer	**le numéro de la carte** lö nüme'ro dö la kart
Kasse	**la caisse** la käß
Kreditkarte	**la carte de crédit** la kart dö kre'di
Kurs	**le cours** lö kur
Münze	**la pièce** la pjäß
Schalter	**le guichet** lö gi'schä
Scheckkarte	**la carte d'identité bancaire** la kart didãti'te bã'kär
Sparkasse	**la caisse d'épargne** la käß de'parnj
Überweisung	**le virement** lö wir'mã
Unterschrift	**la signature** la ßinja'tür
Währung	**la valeur** la wa'lör
Wechselstube	**le bureau de change** lö bü'ro dö schãsch

Post

Wo ist *das nächste Postamt / der nächste Briefkasten*?	**Où est la *poste / boîte aux lettres* la plus proche ?** u ä la *pɔßt / boat‿o 'lätrö* la plü prɔsch?
Was kostet *ein Brief / eine Karte* nach …	**Combien coûte une *lettre / carte* pour …** kõ'bjẽ kut ün *'lätrö / kart* pur …
Fünf Briefmarken zu …, bitte.	**Cinq timbres à …, s'il vous plaît.** ßẽk tẽbr‿a …, ßil wu plä.
Diesen Brief bitte *per Luftpost / per Express.*	**Cette lettre *par avion / par exprès*, s'il vous plaît.** ßät 'lätrö *par a'wjõ / par äkß'präß*, ßil wu plä.
Ich möchte dieses Paket aufgeben.	**Je voudrais poster ce colis.** schö wu'drä pɔß'te ßö kɔ'li.
Haben Sie Post für mich?	**Vous avez du courrier pour moi ?** wus‿a'we dü ku'rje pur moa?

Post: weitere Wörter

Absender	**l'expéditeur** *m* läkßpedi'tör
Adresse	**l'adresse** *f* la'dräß
Ansichtskarte	**la carte postale** la kart pɔß'tal
Briefmarke	**le timbre(-poste)** lö tẽbrö(pɔßt)
Eilbrief	**la lettre exprès** la lätr äkß'präß
Empfänger	**le destinataire** lö däßtina'tär
Päckchen	**le paquet** lö pa'kä
Postleitzahl	**le code postal** lö kɔd pɔß'tal
schicken	**envoyer** ãwoa'je
Sondermarke	**le timbre spécial** lö 'tẽbrö ßpe'ßjal
Wertangabe	**la valeur déclarée** la wa'lör dekla're
Wertpaket	**le colis à valeur déclarée** lö ko'li a wa'lör dekla're

Polizei

Wo ist das nächste Polizeirevier?	**Où est le poste de police le plus proche ?** u ä lö pɔßt dö pɔ'liß lö plü prɔsch?
Ich möchte ... anzeigen.	**Je voudrais dénoncer ...** schö wu'drä denõ'ße ...
– einen Diebstahl	**– un vol.** ẽ wɔl.
– einen Überfall	**– une agression.** ün‿agrä'ßjõ.
– eine Vergewaltigung	**– un viol.** ẽ wjɔl.

► *Unfall,* Seite 54

Man hat mir *meine Handtasche / mein Portemonnaie* gestohlen.	**On m'a volé *mon sac à main / mon porte-monnaie*.** õ ma wɔ'le *mõ ßak a mẽ / mõ pɔrtmɔ'nä.*
Ich habe ... verloren.	**J'ai perdu ...** schä pär'dü ...
Mein Auto ist aufgebrochen worden.	**On a ouvert ma voiture par effraction.** õn‿a u'wär ma woa'tür par äfrak'ßjõ.
Ich bin *betrogen / zusammengeschlagen* worden.	**On m'a *dupé / agressé*.** õ ma *dü'pe / agrä'ße.*
Ich benötige eine Bescheinigung für meine Versicherung.	**J'ai besoin d'une attestation pour mon assurance.** schä bö'soẽ dün‿atäßta'ßjõ pur mõn‿aßü'räß.

info Die Aufgaben der Polizei übernehmen auf dem Land die **gendarmes**. Die **gendarmerie** ist zuständig für Verkehrsunfälle, Bergunfälle, Gesetzesübertretungen usw.

Ich möchte mit meinem *Anwalt*/ *Konsulat* sprechen.	**Je voudrais parler à *mon avocat*/ *avec mon consulat*.** schö wu'drä par'le *a mõn‿awɔ'ka*/*a'wäk mõ kõßü'la*.
Ich bin unschuldig.	**Je suis innocent.** schö ßüis‿inɔ'ßã.
Remplissez ce formulaire, s'il vous plaît.	Füllen Sie bitte dieses Formular aus.
Vos papiers, s'il vous plaît.	Ihren Ausweis, bitte.
Cela s'est passé *quand*/*où*?	*Wann*/*Wo* ist es passiert?
Adressez-vous à votre consulat.	Wenden Sie sich bitte an Ihr Konsulat.

Polizei: weitere Wörter

Anzeige	**la plainte** la plẽt
Autoradio	**l'autoradio** *m* lotora'djo
belästigen	**importuner** ẽpɔrtü'ne
Botschaft	**l'ambassade** lẽba'ßad
Dieb	**le voleur** lö wɔ'lör
Falschgeld	**la fausse monnaie** la foß mɔ'nä
Fundbüro	**le bureau des objets trouvés** lö bü'ro des‿ɔb'schä tru'we
Polizei	**la police** la pɔ'liß
Polizist	**le gendarme** lö schã'darm
Rauschgift	**la drogue** la drɔg
Taschendieb	**le pickpocket** lö pikpɔ'kät
Unfall	**l'accident** *m* lakßi'dã
verhaften	**arrêter** arä'te
Zeuge	**le témoin** lö te'moẽ

Gesundheit

Ich brauche dieses Medikament.
J'ai besoin de ce médicament.

Eine kleine Packung genügt.
Une petite boîte suffira.

Apotheke

info Die Öffnungszeiten der Apotheken entsprechen in der Regel denen der Geschäfte (von 9 bis 19 bzw. 20 Uhr). In allen Apotheken hängt auch die Adresse der nächstgelegenen Notfallapotheke aus.

Wo ist die nächste Apotheke (mit Nachtdienst)?
Où est la pharmacie (de garde) la plus proche ? u ä la farma'ßi (dö gard) la plü prɔsch?

Haben Sie etwas gegen ...?
Vous avez quelque chose contre ... ? wus‿a'we kälkö schos 'kõtrö ...?

► *Krankheiten und Beschwerden,* Seite 187

Ich brauche dieses Medikament.
J'ai besoin de ce médicament. schä bö'soẽ dö ßö medika'mã.

Eine kleine Packung genügt.
Une petite boîte suffira. ün pö'tit boat ßüfi'ra.

Ce médicament est uniquement délivré sur ordonnance.
Dieses Medikament ist rezeptpflichtig.

Wie muss ich es einnehmen?
Comment est-ce que je dois le prendre ? kɔ'mã äß‿kö schö doa lö 'prãdrö?

Nous devons le commander.
Wir müssen es bestellen.

Wann kann ich es abholen?
Vous l'aurez quand ? wu lo're kã?

Beipackzettel

composition	Zusammensetzung
indications thérapeutiques	Anwendungsgebiete
contre-indications	Gegenanzeigen
posologie	**Dosierungsanleitung**
enfants (*à partir de / jusqu'à* … ans)	Kinder (*ab / bis zu* … Jahren)
grossesse	Schwangerschaft
adultes	Erwachsene
trois fois par jour	dreimal täglich
un comprimé	eine Tablette
dix gouttes	zehn Tropfen
une cuillère à café	ein Teelöffel
recette	**Einnahme**
laisser fondre dans la bouche	im Munde zergehen lassen
après les repas	nach dem Essen
avant les repas	vor dem Essen
à jeun	auf nüchternen Magen
indications (thérapeutiques)	**Anwendung**
externe	äußerlich
rectal	rektal
interne	innerlich
oral	oral
effets secondaires	**Nebenwirkungen**
peut provoquer des troubles de la vigilance sur la route	kann zu Beeinträchtigungen im Straßenverkehr führen

Medikamente

Abführmittel	**le laxatif** lö lakßa'tif
Antibabypille	**la pilule contraceptive** la pi'lül kõtraßäp'tiw
Antibiotikum	**l'antibiotique** *m* lãtibjɔ'tik
Augentropfen	**le collyre** lö kɔ'lir
Beruhigungsmittel	**le calmant** lö kal'mã
Desinfektionsmittel	**le désinfectant** lö desẽfäk'tã
Elastikbinde	**la bande élastique** la bãd ela'ßtik
fiebersenkendes Mittel	**le fébrifuge** lö febri'füsch
Fieberthermometer	**le thermomètre médical** lö tärmɔ'mätrö medi'kal
Halsschmerztabletten	**les cachets** *m/ pl* **pour la gorge** le ka'schä pur la gorsch
homöopathisch	**homéopathique** ɔmeɔpa'tik
Hustensaft	**le sirop contre la toux** lö ßi'ro 'kõtrö la tu
Insulin	**l'insuline** *f* lẽßü'lin
Jod	**l'iode** *m* ljɔd
Kohletabletten	**les comprimés** *m/ pl* **de charbon** le kõpri'me dö schar'bõ
Kondome	**les préservatifs** *m/ pl* le presärwa'tif
Kopfschmerztabletten	**les comprimés** *m/ pl* **contre le mal de tête** le kõpri'me 'kõtrö lö mal dö tät
Kreislaufmittel	**le médicament pour la circulation du sang** lö medika'mã pur la ßirküla'ßjõ dü ßã
Magentabletten	**les comprimés** *m/ pl* **contre les maux d'estomac** le kõpri'me 'kõtrö le mo däßtɔ'ma
Mittel gegen …	**le remède contre** … lö rö'mäd 'kõtrö …

► *Krankheiten und Beschwerden,* Seite 187

Mullbinde	**la bande de gaze** la bãd dö gas
Nasentropfen	**les gouttes** ***f/ pl*** **pour le nez** le gut pur lö ne
Ohrentropfen	**les gouttes** ***f/ pl*** **pour les oreilles** le gut pur les‿o'räj
Pflaster	**le pansement** lö pãß'mã
Puder	**la poudre** la 'pudrö
Pulver	**la poudre** la 'pudrö
Rezept	**l'ordonnance** ***f*** lɔrdɔ'nãß
Salbe	**la pommade** la pɔ'mad
Salbe gegen Juckreiz	**la pommade contre les démangeaisons** la pɔ'mad 'kõtrö le demãschä'sõ
Salbe gegen Muckenstiche	**la pommade contre les piqûres de moustiques** la pɔ'mad 'kõtrö le pi'kür dö muß'tik
Salbe gegen Sonnenallergie	**la pommade contre les allergies au soleil** la pɔ'mad 'kõtrö les‿alär'schi o ßɔ'läj
Salbe gegen Sonnenbrand	**la pommade contre les coups de soleil** la pɔ'mad 'kõtrö le ku‿t‿ßɔ'läj
Schlaftabletten	**les somnifères** ***m/ pl*** le ßɔmni'fär
Schmerzmittel	**l'analgésique** ***m*** lanalsche'sik
Spritze	**la piqûre** la pi'kür
Tabletten gegen …	**les comprimés** ***m/ pl*** **contre …** le kõpri'me 'kõtrö …
Tropfen	**les gouttes** ***f/ pl*** le gut
Verbandszeug	**les pansements** ***m/ pl*** le pãß'mã
Wundsalbe	**la pommade cicatrisante** la pɔ'mad ßikatri'sãt
Zäpfchen	**le suppositoire** lö ßüposi'toar

Arzt

Arztsuche

Können Sie mir einen *praktischen Arzt / Zahnarzt* empfehlen?	**Est-ce que vous pouvez me recommander un *médecin généraliste / dentiste* ?** äß‿kö wu pu'we mö rökɔmã'de ẽ *med'ßẽ schenera'lißt / dã'tißt?*
Spricht er *Deutsch / Englisch*?	**Est-ce qu'il parle *allemand / anglais* ?** äß‿kil parl *al'mã / ã'glä?*
Wo ist seine Praxis?	**Où est son cabinet ?** u ä ßõ kabi'nä?
Kann er herkommen?	**Est-ce qu'il pourrait venir ?** äß‿kil pu'rä wö'nir?

info S.A.M.U. heißt der Rettungsdienst, den man überall in Frankreich und rund um die Uhr unter der Notrufnummer 15 benachrichtigen kann. Er koordiniert den Einsatz von Notärzten und Krankenwagen. Bei Notfällen kann man sich aber auch an **les pompiers** *(die Feuerwehr)*, Notrufnummer 18, wenden.

Rufen Sie bitte einen *Krankenwagen / Notarzt*!	**Appelez *une ambulance / le S.A.M.U.*, s'il vous plaît.** ap'le *ün‿ãbü'lãß / lö ßa'mü*, ßil wu plä.
Mein Mann / Meine Frau ist krank.	***Mon mari / Ma femme* est malade.** *mõ ma'ri / ma fam* ä ma'lad.
Wohin bringen Sie *ihn / sie*?	**Vous *le / la* transportez où ?** wu *lö / la* trãßpɔr'te u?
Ich möchte mitkommen.	**Je voudrais venir avec.** schö wu'drä wö'nir a'wäk.

Ärzte

Arzt	**le médecin** lö med'ßẽ
Ärztin	**le médecin** lö med'ßẽ
Augenarzt	**l'oculiste** *m* lɔkü'lißt
Frauenarzt	**le gynécologue** lö schineko'lɔg
Frauenärztin	**la gynécologue** la schineko'lɔg
Hals-Nasen-Ohren-Arzt	**l'oto-rhino-laryngologiste** *m* lɔtɔrinolarẽgɔlɔ'schißt
Hautarzt	**le dermatologue** lö därmato'lɔg
Heilpraktiker	**le practicien de médecines parallèles** lö prati'ßjẽ dö med'ßin para'läl
Internist	**le spécialiste des maladies internes** lö ßpeßja'lißt de mala'di ẽ'tärn
Kinderarzt	**le pédiatre** lö pe'djatrö
Orthopäde	**l'orthopédiste** *m* lɔrthɔpe'dißt
Praktischer Arzt	**le médecin généraliste** lö med'ßẽ schenera'lißt
Tierarzt	**le vétérinaire** lö weteri'när
Urologe	**l'urologue** *m* lürɔ'lɔg
Zahnarzt	**le dentiste** lö dã'tißt

► *Zahnarzt,* Seite 191

Beim Arzt

Ich bin (stark) erkältet.	**J'ai un (gros) rhume.**	schä ẽ (gro) rüm.
Ich habe …	**J'ai …**	schä …
– Kopfschmerzen.	**– mal à la tête.**	mal a la tät.
– Halsschmerzen.	**– mal à la gorge.**	mal a la gɔrsch.
– hohes Fieber.	**– une forte fièvre.**	ün fort 'fjäwrö.
– Fieber.	**– de la fièvre.**	dö la 'fjäwrö.
– Durchfall.	**– la diarrhée.**	la dja're.
Ich fühle mich nicht wohl.	**Je ne me sens pas bien.**	schö nö mö ßã pa bjẽ.
Mir ist schwindelig.	**J'ai des vertiges.**	schä de wär'tisch.
Mir *tut/tun* … weh.	**J'ai mal *à/aux* …**	schä mal *a/o* …

► *Körperteile und Organe*, Seite 185

Hier habe ich Schmerzen.	**J'ai mal ici.**	schä mal i'ßi.

info Ärzte und Ärztinnen werden in Frankreich einfach nur mit «**Docteur**» angeredet, ohne **Monsieur**, **Madame** oder den Familiennamen.

Ich habe mich (mehrmals) übergeben.	**J'ai vomi (plusieurs fois).**	schä wo'mi (plü'sjör foa).
Ich habe mir den Magen verdorben.	**J'ai l'estomac barbouillé.**	schä läßtɔ'ma barbu'je.
Ich bin ohnmächtig geworden.	**J'ai perdu connaissance.**	schä pär'dü kɔnä'ßãß.
Ich kann … nicht bewegen.	**Je ne peux pas bouger …**	schö nö pö pa bu'sche …
Ich habe mich verletzt.	**Je me suis blessé.**	schö mö ßüi ble'ße.

Ich bin gestürzt.
Je suis tombé. schö ßüi tõ'be.

Ich bin von … *gestochen / gebissen* worden.
J'ai été *piqué / mordu* par … schä e'te *pi'ke / mor'dü* par …

Ich bin (nicht) gegen … geimpft.
Je (ne) suis (pas) vacciné contre … schö (nö) ßüi (pa) wakßi'ne 'kõtrö …

Ich bin allergisch gegen Penizillin.
Je suis allergique à la pénicilline. schö ßüi alär'schik a la penißi'lin.

Ich habe einen *hohen / niedrigen* Blutdruck.
Je souffre d'*hypertension / hypotension*. schö 'ßufrö d‿*ipärtã'ßjõ / ‿ipotã'ßjõ*.

Ich habe einen Herzschrittmacher.
Je porte un pacemaker. schö pɔrt ẽ päßmä'kör.

Ich bin (im … Monat) schwanger.
Je suis enceinte (de … mois). schö ßüis‿ã'ßẽt (dö … moa).

Ich bin Diabetiker.
Je suis diabétique. schö ßüi djabe'tik.

Ich nehme regelmäßig diese Medikamente.
Je prends régulièrement ces médicaments. schö prã regüljär'mã ße medika'mã.

Qu'est-ce que vous avez comme problèmes ?
Was für Beschwerden haben Sie?

Où avez-vous mal ?
Wo haben Sie Schmerzen?

Ici, vous avez mal ?
Tut das weh?

Ouvrez la bouche.
Öffnen Sie den Mund.

Montrez la langue.
Zeigen Sie die Zunge.

Enlevez le haut, s'il vous plaît.
Bitte machen Sie den Oberkörper frei.

Relevez votre manche, s'il vous plaît.	Bitte machen Sie Ihren Arm frei.
Nous devons vous faire une radio.	Wir müssen Sie röntgen.
Inspirez profondément. Ne respirez plus.	Atmen Sie tief. Atem anhalten.
Depuis quand avez-vous ces problèmes ?	Wie lange haben Sie diese Beschwerden schon?
Est-ce que vous êtes vacciné contre … ?	Sind Sie gegen … geimpft?
Avez-vous un carnet de vaccinations ?	Haben Sie einen Impfpass?
Il faut faire une analyse *de sang / d'urine*.	*Ihr Blut / Ihr Urin* muss untersucht werden.
Il faut vous opérer.	Sie müssen operiert werden.
Ce n'est rien de grave.	Es ist nichts Ernstes.
Revenez *demain / dans … jours*.	Kommen Sie *morgen / in … Tagen* wieder.
Können Sie mir ein Attest ausstellen?	**Est-ce que vous pourriez me faire un certificat ?** äß‿kö wu pu'rje mö fär ẽ ßärtifi'ka?
Geben Sie mir bitte eine Quittung für meine Versicherung.	**Pourriez-vous me donner une facture pour mon assurance, s'il vous plaît ?** purje'wu mö dɔ'ne ün fak'tür pur mõn‿aßü'räß, ßil wu plä?

Körperteile und Organe

Arm	**le bras** lö bra
Auge	**l'œil** *m, / pl:* **les yeux** löj, les‿jö
Bandscheibe	**le disque intervertébral** lö dißk ẽtärwärte'bral
Bauch	**le ventre** lö 'wãtrö
Becken	**le bassin** lö ba'ßẽ
Bein	**la jambe** la schãb
Blase	**la vessie** la we'ßi
Blinddarm	**l'appendice** *m* lapã'diß
Blut	**le sang** lö ßã
Bronchien	**les bronches** *f/ pl* le brõsch
Brust	**la poitrine** la poa'trin
Darm	**les intestins** *m/ pl* les‿ẽtäß'tẽ
Ferse	**le talon** lö ta'lõ
Finger	**le doigt** lö doa
Fuß	**le pied** lö pje
Galle	**la bile** la bil
Gehirn	**le cerveau** lö ßär'wo
Gelenk	**l'articulation** *f* lartiküla'ßjõ
Gesäß	**le séant** lö ße'ã
Geschlechtsorgane	**les organes** *m/ pl* **génitaux** les‿ɔr'gan scheni'to
Gesicht	**le visage** lö wi'sasch
Hals *(äußerlich)*	**le cou** lö ku
Hals *(innerlich)*	**la gorge** la gɔrsch
Hand	**la main** la mẽ
Harnblase	**la vessie** la we'ßi
Haut	**la peau** la po
Herz	**le cœur** lö kör
Hüfte	**la hanche** la ãsch
Knie	**le genou** lö schö'nu
Kniescheibe	**la rotule** la rɔ'tül
Knöchel	**la cheville** la schö'wij

Knochen	**l'os** *m* lɔß
Kopf	**la tête** la tät
Körper	**le corps** lö kɔr
Leber	**le foie** lö foa
Lunge	**les poumons** *m/ pl* le pu'mõ
Magen	**l'estomac** *m* läßtɔ'ma
Mandeln	**les amygdales** *f/ pl* les‿ami'dal
Mund	**la bouche** la busch
Muskel	**le muscle** lö 'müßklö
Nacken	**la nuque** la nük
Nase	**le nez** lö ne
Nebenhöhle	**le sinus** lö ßi'nüß
Nerv	**le nerf** lö När
Niere	**le rein** lö rẽ
Ohr	**l'oreille** *f* lɔ'räj
Rippe	**la côte** la kot
Rücken	**le dos** lö do
Schienbein	**le tibia** lö ti'bja
Schilddrüse	**la thyroïde** la tiro'id
Schleimhaut	**la muqueuse** la mü'kös
Schlüsselbein	**la clavicule** la klawi'kül
Schulter	**l'épaule** *f* le'pol
Sehne	**le tendon** lö tã'dõ
Stirn	**le front** lö frõ
Stirnhöhle	**le sinus frontal** lö ßi'nüß frõ'tal
Wade	**le mollet** lö mɔ'lä
Wirbel	**la vertèbre** la wär'täbrö
Wirbelsäule	**la colonne vertébrale** la kɔ'lɔn wärte'bral
Zahn	**la dent** la dã
Zehe	**l'orteil** *m* lɔr'täj
Zunge	**la langue** la lãg

Krankheiten und Beschwerden

Abszess	**l'abcès** *m* lab'ßä
Aids	**le sida** lö ßi'da
Allergie	**l'allergie** *f* lalär'schi
Angina	**l'angine** *f* lã'schin
ansteckend	**contagieux** kõta'schjö
Asthma	**l'asthme** *m* 'lasmö
Atembeschwerden	**les difficultés à respirer** le difiküľ'te a räßpi're
Ausschlag	**l'éruption** *f* **cutanée** lerüp'ßjõ küta'ne
Bänderriss	**la déchirure des ligaments** la deschi'rür de liga'mã
Bindehautentzündung	**la conjonctivite** la kõschõkti'wit
Biss	**la morsure** la mɔr'ßür
Blasenentzündung	**la cystite** la ßiß'tit
Blinddarmentzündung	**l'appendicite** *f* lapãdi'ßit
Blutdruck, hoher	**la haute tension** la ot tã'ßjõ
Blutdruck, niedriger	**la basse tension** la baß tã'ßjõ
Blutvergiftung	**la septicémie** la ßeptiße'mi
Bronchitis	**la bronchite** la brõ'schit
Diabetes	**le diabète** lö dja'bät
Durchfall	**la diarrhée** la dja're
Entzündung	**l'inflammation** *f* lẽflama'ßjõ
Erbrechen	**les vomissements** *m/ pl* le wɔmiß'mã
Erkältung	**le refroidissement** lö röfroadiß'mã
Fieber	**la fièvre** la 'fjäwrö
Gallensteine	**les calculs** *m/ pl* **biliaires** le kal'kül bi'ljär
gebrochen	**cassé** ka'ße
Gehirnerschütterung	**la commotion cérébrale** la komo'ßjõ ßere'bral
Geschlechtskrankheit	**la maladie vénérienne** la mala'di wene'rjän

Grippe	**la grippe** la grip
Hämorriden	**les hémorroïdes** *f/ pl* les‿emɔrɔ'id
Herpes	**l'herpès** *m* lär'päß
Herzanfall	**la crise cardiaque** la kris kar'djak
Herzfehler	**l'anomalie** *f* **cardiaque** lanɔma'li kar'djak
Herzinfarkt	**l'infarctus** *m* lẽfark'tüß
Heuschnupfen	**le rhume des foins** lö rüm de foẽ
Hexenschuss	**le lumbago** lö lẽba'go
Hirnhautentzündung	**la méningite** la menẽ'schit
Husten	**la toux** la tu
Infektion	**l'infection** *f* lẽfäk'ßjõ
Keuchhusten	**la coqueluche** la kɔk'lüsch
Kinderlähmung	**la poliomyélite** la pɔljɔmje'lit
Kolik	**la colique** la ko'lik
Krampf	**la crampe** la krãp
Krebs	**le cancer** lö kã'ßär
Kreislaufstörungen	**les troubles** *m/ pl* **circulatoires** le 'trublö ßirküla'toar
Lebensmittelvergiftung	**l'intoxication** *f* **alimentaire** lẽtɔkßika'ßjõ alimã'tär
Leistenbruch	**la hernie** la är'ni
Lungenentzündung	**la pneumonie** la pnömɔ'ni
Magengeschwür	**l'ulcère** *m* **à l'estomac** lül'ßär a läßtɔ'ma
Magenschmerzen	**les maux** *m/ pl* **d'estomac** le mo däßtɔ'ma
Malaria	**la malaria** la mala'rja
Mandelentzündung	**l'amygdalite** *f* lamida'lit
Masern	**la rougeole** la ru'schɔl
Menstruation	**les menstruations** *f/ pl* le mãßtrüa'ßjõ
Migräne	**la migraine** la mi'grän
Mittelohrentzündung	**l'otite** *f* lɔ'tit

Mumps	**les oreillons** *m/ pl* les‿orä'jõ
Nasenbluten	**les saignements** *m/ pl* **de nez** le ßänjö'mã dö ne
Neuralgie	**la névralgie** la newral'schi
Nierensteine	**les calculs** *m/ pl* **rénaux** le kal'kül re'no
Pilzinfektion	**la mycose** la mi'kos
Prellung	**la contusion** la kõtü'sjõ
Röteln	**la rubéole** la rübe'ɔl
Scharlach	**la scarlatine** la ßkarla'tin
Scheidenentzündung	**la vaginite** la waschi'nit
Schlaganfall	**l'attaque** *f* **(d'apoplexie)** la'tak (dapɔplä'kßi)
Schnupfen	**le rhume** lö rüm
Schweißausbruch	**les sueurs** *f/ pl* le ßu'ör
Schwellung	**l'enflure** *f* lã'flür
Schwindel	**les vertiges** *m/ pl* le wär'tisch
Sodbrennen	**les brûlures** *f/ pl* **(d'estomac)** le brü'lür (däßtɔ'ma)
Sonnenbrand	**le coup de soleil** lö ku‿d‿ßɔ'läj
Sonnenstich	**l'insolation** *f* lẽßɔla'ßjõ
Stich	**la piqûre** la pi'kür
Tetanus	**le tétanos** lö teta'noß
Tumor *(bösartiger/ gutartiger)*	**la tumeur** ***(maligne / bénigne)*** la tü'mör (*ma'linj / be'ninj*)
Übelkeit	**le mal au cœur** lö mal o kör
Verbrennung	**la brûlure** la brü'lür
Verletzung	**la blessure** la ble'ßür
verrenkt	**luxé** lü'kße
verstaucht	**foulé** fu'le
Verstopfung	**la constipation** la kõßtipa'ßjõ
Windpocken	**la varicelle** la wari'ßäl
Wunde	**la blessure** la ble'ßür
Zeckenbiss	**la piqûre de tique** la pi'kür dö tik

Im Krankenhaus

Gibt es hier jemanden, der Deutsch spricht?

Est-ce qu'il y a ici quelqu'un qui parle allemand ? äß‿kil‿ja i'ßi käl'kẽ ki parl al'mã?

► *Beim Arzt,* Seite 182

Ich möchte mich lieber in Deutschland operieren lassen.

Je préfère me faire opérer en Allemagne. schö pre'fär mö fär ɔpe're ãn‿al'manj.

Bitte benachrichtigen Sie meine Familie.

Prévenez ma famille, s'il vous plaît. prew'ne ma fa'mij, ßil wu plä.

Schwester / Pfleger, könnten Sie mir bitte helfen?

***Infirmière / Infirmier,* pouvez-vous m'aider, s'il vous plaît ?** *ẽfir'mjär / ẽfir'mje,* puwe'wu mä'de, ßil wu plä?

Geben Sie mir bitte etwas *gegen die Schmerzen / zum Einschlafen.*

Donnez-moi quelque chose *contre la douleur / pour dormir,* s'il vous plaît. dɔne'moa kälkö schos *'kõtrö la du'lör / pur dɔr'mir,* ßil wu plä.

Beim Zahnarzt

Dieser Zahn hier tut weh.	**J'ai mal à cette dent.** schä mal a ßät dã.
Der Zahn ist abgebrochen.	**La dent s'est cassée.** la dã ßä ka'ße.
Ich habe *eine Füllung / eine Krone* verloren.	**J'ai perdu *un plombage / une couronne*.** schä pär'dü *ẽ plõ'basch / ün ku'rɔn*.
Können Sie den Zahn provisorisch behandeln?	**Est-ce que vous pourriez soigner la dent de façon provisoire ?** äß‿kö wu pu'rje ßoa'nje la dã dö fa'ßõ prɔwi'soar?
Den Zahn bitte nicht ziehen.	**S'il vous plaît, ne m'arrachez pas la dent.** ßil wu plä, nö mara'sche pa la dã.
Geben Sie mir bitte eine Spritze.	**Faites-moi une injection, s'il vous plaît.** fät'moa ün‿ẽschäk'ßjõ, ßil wu plä.
Können Sie diese Prothese reparieren?	**Pourriez-vous réparer cette prothèse ?** purje'wu repa're ßät prɔ'täs?
Vous avez besoin …	Sie brauchen …
– d'un bridge. **– d'un plombage.** **– d'une couronne.**	– eine Brücke. – eine Füllung. – eine Krone.
Je dois extraire la dent.	Ich muss den Zahn ziehen.
Rincez bien.	Bitte gut spülen.
Ne rien manger pendant deux heures, s'il vous plaît.	Bitte zwei Stunden nichts essen.

Beim Zahnarzt: weitere Wörter

Abdruck	**l'empreinte** *f* lã'prẽt
Amalgamfüllung	**l'amalgame** *m* lamal'gam
Gebiss *(Prothese)*	**le dentier** lö dã'tje
Goldinlay	**le plombage en or** lö plõ'basch ãn‿ɔr
Inlay	**l'inlay** *m* lin'lä
Karies	**la carie** la ka'ri
Kiefer	**la mâchoire** la ma'schoar
Kunststofffüllung	**le composite** lö kõpo'sit
Nerv	**le nerf** lö när
Parodontose	**la parodontose** la parodõ'tos
Porzellanfüllung	**le plombage en porcelaine** lö plõ'basch ã pɔrßö'län
Provisorium	**le traitement provisoire** lö trät'mã prɔwi'soar
Weisheitszahn	**la dent de sagesse** la dã dö ßa'schäß
Wurzel	**la racine** la ra'ßin
Wurzelbehandlung	**le traitement de la racine** lö trät'mã dö la ra'ßin
Zahn	**la dent** la dã
Zahnfleisch	**la gencive** la schã'ßiw
Zahnfleisch-entzündung	**l'inflammation** *f* **de la gencive** lẽflama'ßjõ dö la schã'ßiw
Zahnspange	**l'appareil** *m* **dentaire** lapa'räj dã'tär
Zahnstein	**le tartre** lö 'tartrö

Die Zeit

Wie spät ist es?
Quelle heure est-il ?

Wir reisen am 20. August ab.
Nous partons le vingt août.

Uhrzeit

Wie spät ist es?	**Quelle heure est-il ?** käl‿ör ätil?
Es ist 1 Uhr.	**Il est une heure.** il‿ä ün‿ör.
Es ist 2 Uhr.	**Il est deux heures.** il‿ä dös‿ör.
Es ist 12 Uhr *mittags / nachts*.	**Il est *midi / minuit*.** il‿ä *mi'di / mi'nüi*.
Es ist 5 (Minuten) nach 4.	**Il est quatre heures cinq.** il‿ä katr‿ör ßẽk.
Es ist Viertel nach 5.	**Il est cinq heures et quart.** il‿ä ßẽk‿ör e kar.
Es ist halb 7.	**Il est six heures et demie.** il‿ä ßis‿ör e dö'mi.
Es ist 15 Uhr 35.	**Il est quinze heures trente-cinq.** il‿ä kẽs‿ör trã't'ßẽk.
Es ist Viertel vor 9.	**Il est neuf heures moins le quart.** il‿ä nöw‿ör moẽ l‿kar.

info Zur Angabe der Zeit bevorzugt man in Frankreich eher die Zahlen von 1 bis 24, um mögliche Missverständnisse zu vermeiden: Wenn Sie also die Uhrzeit angeben wollen, sagen Sie zum Beispiel statt „Es ist halb drei" besser „Es ist 14.30 Uhr": **Il est quatorze heures et demie.**

Es ist 10 (Minuten) vor 8.	**Il est huit heures moins dix.** il‿ä üit‿ör moẽ diß.
Um wie viel Uhr?	**A quelle heure ?** a käl‿ör?
Um 10 Uhr.	**A dix heures.** a dis‿ör.
Bis 11 Uhr.	**Jusqu'à onze heures.** schüßka õs‿ör.

Von 8 bis 9 Uhr.	**De huit heures à neuf heures.** dö üit‿ör a nöw‿ör.
Zwischen 10 und 12 Uhr.	**Entre dix et douze.** 'ãtrö diß‿e dus.
In einer halben Stunde.	**Dans une demi-heure.** dãs‿ün dömi'ör.
Es ist (zu) spät.	**Il est (trop) tard.** il‿ä (tro) tar.
Es ist noch zu früh.	**Il est encore trop tôt.** il‿ät‿ã'kɔr tro to.

Allgemeine Zeitangaben

Abend, abends	**le soir** lö ßoar
bald	**bientôt** bjẽ'to
bis	**jusqu'à** schüßka
früh	**tôt** to
gestern	**hier** jär
halbe Stunde	**la demi-heure** la dömi'ör
heute	**aujourd'hui** oschur'düi
heute Morgen	**ce matin** ßö ma'tẽ
heute Nachmittag	**cet après-midi** ßät‿aprämi'di
in 14 Tagen	**dans quinze jours** dã kẽs schur
Jahr	**l'année** *f* la'ne
jetzt	**maintenant** mẽt'nã
manchmal	**quelquefois** kälkö'foa
Minute	**la minute** la mi'nüt
mittags	**à midi** a mi'di
Monat	**le mois** lö moa
morgen	**demain** dö'mẽ
Morgen, morgens	**le matin** lö ma'tẽ
Nachmittag, am Nachmittag	**l'après-midi** *m* laprämi'di

nächstes Jahr	**l'année *f* prochaine** la'ne prɔ'schän
Nacht, nachts	**la nuit** la nüi
seit	**depuis** dö'püi
Sekunde	**la seconde** la ßö'gõd
spät	**tard** tar
später	**plus tard** plü tar
Stunde	**l'heure *f*** lör
Tag	**le jour** lö schur
übermorgen	**après-demain** aprädö'mẽ
um	**vers** wär
Viertelstunde	**le quart d'heure** lö kar dör
vor einem Monat	**il y a un mois** il‿ja ẽ moa
Vormittag, vormittags	**le matin** lö ma'tẽ
Woche	**la semaine** la ßö'män
Zeit	**le temps** lö tã
vor Kurzem	**il y a peu de temps** il‿ja pö dö tã
heute Abend	**ce soir** ßö ßoar
vorgestern	**avant-hier** awã'tjär

Datum

Den Wievielten haben wir heute?
On est le combien aujourd'hui ? õn‿ä lö kõ'bjẽ oschur'düi?

Heute ist der 2. Juli.
Aujourd'hui, on est le deux juillet. oschur'düi, õn‿ä lö dö schüi'jä.

Am 4. *dieses / nächsten* Monats.
Le quatre *de ce mois / du mois prochain*. lö 'katrö *dö ßö moa / dü moa prɔ'schẽ*.

Bis zum 10. März.
Jusqu'au dix mars. schüßko di marß.

Wir reisen am 20. August ab.
Nous partons le vingt août. nu par'tõ lö wẽ ut.

Jahreszeiten

Frühling **le printemps** lö prẽ'tã
Sommer **l'été** *m* le'te
Herbst **l'automne** *m* lo'tɔn
Winter **l'hiver** *m* li'wär

Wochentage

Montag **lundi** lẽ'di
Dienstag **mardi** mar'di
Mittwoch **mercredi** märkrö'di
Donnerstag **jeudi** schö'di
Freitag **vendredi** wãdrö'di
Samstag, Sonnabend **samedi** ßam'di
Sonntag **dimanche** di'mãsch

Monate

Januar **janvier** schã'wje
Februar **février** fewri'je
März **mars** marß
April **avril** a'wril
Mai **mai** mä
Juni **juin** schüẽ
Juli **juillet** schüi'jä
August **août** ut
September **septembre** ßäp'tãbrö
Oktober **octobre** ɔk'tɔbrö
November **novembre** nɔ'wãbrö
Dezember **décembre** de'ßãbrö

Feiertage

info Der 14. Juli, der französische Nationalfeiertag, ist in Frankreich ein Volksfest, das mit Umzügen und Tanz am Abend gefeiert wird. Feiertage sind auch der 8. Mai (Ende des Zweiten Weltkrieges), Christi Himmelfahrt, Mariä Himmelfahrt und der 11. November (Ende des Ersten Weltkrieges). Keine Feiertage hingegen sind der 26. Dezember, Rosenmontag, Karnevalsdienstag, Karfreitag und Fronleichnam.

Feiertage

Allerheiligen — **la Toussaint** la tu'ßẽ
Fasching, Karneval — **le carnaval** lö karna'wal
Fastnachtsdienstag — **le mardi gras** lö mar'di gra
Fronleichnam — **la fête du Saint Sacrement** la fät dü ßẽ ßakrö'mã
Heiligabend — **la veille de Noël** la wäj dö nɔ'äl
Himmelfahrt — **l'Ascension** *f* laßã'ßjõ
Mariä Himmelfahrt — **l'Assomption** *f* laßõp'ßjõ
Weihnachten — **Noël** nɔ'äl
Karfreitag — **le vendredi saint** lö wãdrö'di ßẽ
Neujahr — **le jour de l'an** lö schur dö lã
Ostern — **Pâques** pak
Pfingsten — **la Pentecôte** la pãt'kot
Silvester — **la Saint-Sylvestre** la ßẽ ßil'wäßtrö
1. Weihnachtstag — **Noël (le vingt-cinq décembre)** nɔ'äl (lö wẽt'ßẽk de'ßãbrö)

Wetter und Umwelt

Die Sonne scheint.
Le soleil brille.

Was sagt der Wetterbericht?
Que dit la météo ?

Sonnenuntergang	**le coucher du soleil** lö ku'sche dü ßɔ'läj
sonnig	**ensoleillé** ãßɔlä'je
Stern	**l'étoile** *f* le'toal
Sturm	**la tempête** la tã'pät
stürmisch	**orageux** ɔra'schö
Temperatur	**la température** la tãpera'tür
Tief	**la dépression** la deprä'ßjõ
trocken	**sec,** *f:* **sèche** ßäk, ßäsch
Unwetter	**l'orage** *m* lɔ'rasch
wechselhaft	**capricieux** kapri'ßjö
Wind	**le vent** lö wã
Wolke	**le nuage** lö nü'asch

Umweltbedingungen

Hier ist es sehr laut.	**Ici, c'est très bruyant.** i'ßi, ßä trä brü'jã.
Können Sie diesen Lärm abstellen?	**Est-ce que vous pouvez arrêter ce bruit ?** äß‿kö wu pu'we arä'te ßö brüi?
Hier riecht es unangenehm.	**Ça ne sent pas très bon, ici.** ßa nö ßã pa tre bõ, i'ßi.
Woher kommt dieser Geruch?	**D'où vient cette odeur ?** du wjẽ ßät‿ɔ'dör?
Ist das Wasser *trinkbar / sauber*?	**Est-ce que l'eau est** ***potable / salubre*** **?** äß‿kö lo ä *pɔ'tablö / ßa'lübrö*?
Das Wasser ist verschmutzt.	**L'eau est polluée.** lo ä pɔlü'e.
Ist das gefährlich?	**Est-ce que c'est dangereux ?** äß‿kö ßä dãsch'rö?

Grammatik

Der Artikel

Bestimmter und unbestimmter Artikel

	Singular		Plural	
	♂	♀	♂	♀
best. Artikel	**le jour** der Tag	**la nuit** die Nacht	**les jours** die Tage	**les nuits** die Nächte
unbest. Artikel	**un jour** ein Tag	**une nuit** eine Nacht	**des jours** Tage	**des nuits** Nächte

Die französische Sprache unterscheidet nur 2 Geschlechter: das männliche und das weibliche.

Vor Vokalen und stummem **h** werden **le** und **la** zu **l´**, also: **l´avion** das Flugzeug, **l´adresse** die Adresse, **l´hôtel** das Hotel.

Mit den Präpositionen **à** und **de** verschmelzen die bestimmten Artikel **le** und **les**. Dabei wird

à + le → au
de + le → du

à + les → aux
de + les → des

Ausnahme: l´ bleibt l´ und verschmilzt nicht:
Je vais à l´hôtel. Ich gehe zum Hotel.
Je viens de l´hôtel. Ich komme vom Hotel.

Teilungsartikel und Mengenangaben

Möchten Sie eine unbestimmte Menge oder Zahl bezeichnen, müssen Sie den sogannnten Teilungsartikel verwenden. Er setzt sich zusammen aus der Präposition **de** und dem bestimmten Artikel.

Singular		Plural	
♂	♀	♂	♀
du pain (etwas) Brot	**de la bière** (etwas) Bier	**des jours** Tage	**des pommes** Äpfel

Möchten Sie hingegen eine bestimmte Menge bezeichnen, werden die Substantive mit **de** verbunden; als „bestimmte Menge" gelten auch **beaucoup** viel, **peu** wenig.

Singular		Plural	
♂	♀	♂	♀
une bouteille de lait eine Flasche Milch	**un litre d'eau** ein Liter Wasser	**un kilo d'abricots** ein Kilo Aprikosen	**un kilo de pommes** ein Kilo Äpfel

Substantive

Die Fälle

Nominativ und Akkusativ haben die gleiche Form.
Der Genitiv wird mit Hilfe der Präposition **de**, der Dativ mit Hilfe der Präposition **à** gebildet.

Nominativ	**Où est la gare?** Wo ist der Bahnhof?
Genitiv	**Où est l'arrêt du bus?** Wo ist die Bushaltestelle?
Dativ	**Je montre mon billet au contrôleur.** Ich zeige dem Kontrolleur meinen Fahrschein.
Akkusativ	**Je cherche la rue Mouffetard.** Ich suche die Rue Mouffetard.

Pluralbildung

1. Den Plural bilden Sie fast immer durch das Anhängen eines **-s** ans Ende des Wortes; dieses **-s** wird aber nicht ausgesprochen:
   la nuit die Nacht → **les nuits** die Nächte.

2. Wörter, die auf **-al** enden, bilden den Plural in der Regel auf **-aux:**
   le journal die Zeitung → **les journaux** die Zeitungen.

3. Einen unregelmäßigen Plural bildet **l´œil** das Auge → **les yeux** die Augen.

Adjektive und Adverbien

Adjektive

Das Adjektiv richtet sich in Geschlecht und Zahl nach dem Substantiv, zu dem es gehört.

Das Femininum wird meist gebildet, indem man ein **-e** an die maskuline Form des Adjektivs anhängt. Manche Adjektive verändern sich dabei leicht: Der letzte Konsonant verdoppelt sich, z. B. **-el** → **-elle (officiel** → **officielle)** oder der Vokal erhält einen Akzent, z. B. **-ier** → **-ière (premier** → **première)**.
Daneben sind folgende Bildungen wichtig:
-eux und **-eur** → **-euse, -if** → **-ive, -eau** → **-elle**.
Endet die maskuline Form schon auf **-e**, bleibt das Adjektiv unverändert. Um den Plural zu bilden, hängen Sie in den meisten Fällen wie beim Substantiv einfach ein **-s** an das Adjektiv im Singular.

Singular		Plural	
♂	♀	♂	♀
Le parc est grand. Der Park ist groß.	**La ville est grande.** Die Stadt ist groß.	**Les parcs sont grands.** Die Parks sind groß.	**Les villes sont grandes.** Die Städte sind groß.

Adjektive stehen meist hinter dem Substantiv:
un film intéressant ein interessanter Film
la veste verte die grüne Jacke.

Vorangestellt werden in der Regel kurze Adjektive wie **bon, beau, joli, jeune, vieux, grand** und **petit**:
un bon repas ein gutes Essen.

Adverbien

Das Adverb bilden Sie, indem Sie **-ment** an die weibliche Form des Adjektivs hängen:
froid → **froide** → **froidement** kalt.

Daneben gibt es Adverbien, die nicht vom Adjektiv abgeleitet sind; die wichtigsten lauten: **bien** gut, **mal** schlecht, **vite** schnell, **beaucoup** viel.

Steigerung

Man steigert Adjektive und Adverbien, indem man für den Komparativ **plus** voranstellt; den Superlativ bildet man durch den Komparativ mit dem bestimmten Artikel:

grand →	**plus grand** → **(que)**	**le plus grand**
groß	größer (als)	der größte
beau →	**plus beau** → **(que)**	**le plus beau**
schön	schöner (als)	der schönste

Nicolas est plus beau que Lucas.
Nicolas ist schöner als Lucas.

Paris est la plus belle ville du monde.
Paris ist die schönste Stadt der Welt.

Pronomen

Personalpronomen

1. Unbetont

	Nominativ		Dativ		Akkusativ	
Singular	**je**	ich	**me**	mir	**me**	mich
	tu	du	**te**	dir	**te**	dich
	il	er	**lui**	ihm	**le**	ihn/es
	elle	sie		ihr	**la**	sie
Plural	**nous**	wir	**nous**	uns	**nous**	uns
	vous	ihr/Sie	**vous**	euch/ Ihnen	**vous**	euch/ Ihnen
	ils	sie ♂	**leur**	ihnen ♂	**les**	sie ♂
	elles	sie ♀		ihnen ♀		sie ♀

Statt **nous** wird in der Umgangssprache häufig **on** verwendet:
On y va? Gehen wir?

2. Betont

Singular		Plural	
moi	ich	**nous**	wir
toi	du	**vous**	ihr/Sie
lui	er	**eux**	sie ♂
elle	sie	**elles**	sie ♀

Die betonten Formen werden gebraucht:
1. wenn sie alleine stehen: **mon frère et moi** mein Bruder und ich,
2. nach Präpositionen: **sans vous** ohne euch,
3. zur Hervorhebung: **Lui, il est déjà parti.** Er ist schon weg.

Reflexivpronomen

Die Formen der 1. und 2. Person Singular und Plural sind identisch mit dem Akkusativ des Personalpronomens.

	Dativ und Akkusativ	
Singular	**me**	mir / mich
	te	dir / dich
	se	sich
Plural	**nous**	uns
	vous	euch
	se	sich

Y und en

Y und en ersetzen Ortsangaben:

Il va à Paris? Er fährt nach Paris? **Oui, il y va.** Ja, er fährt dorthin.

Tu es à Tours? Bist du in Tours? **Oui, j´y suis.** Ja, ich bin dort.

Je viens de Paris. Ich komme aus Paris.
J´en viens. Ich komme von dort.

Y und en ersetzen auch Satzteile mit **à** bzw. **de**:

Tu penses à faire la vaisselle? Denkst du daran, das Geschirr zu spülen? **J´y pense.** Ich denke daran.

Il a mangé de la tarte? Hat er von der Torte gegessen?
Oui, il en a mangé. Ja, er hat davon gegessen.

Stellung der Pronomen

Die Pronomen stehen vor dem Verb, und zwar in folgender Reihenfolge:

me			
te	le	lui	
se	la	leu	y, en
nous	les		
vous			

Also:
Je vous le rends. Ich gebe es euch/Ihnen zurück.
Je lui en parle. Ich rede mit ihr/ihm darüber.

Possessivpronomen

„Besitz"	Singular				Plural	
„Besitzer"	♂		♀		♂ und ♀	
Singular	mon ton son	fils	ma ta sa	fille	mes tes ses	enfants
Plural	notre votre leur	fils, fille			nos vos leurs	

Bei den Possessivpronomen kommt es auf das Geschlecht dessen an, was man „besitzt", nicht auf das Geschlecht des Besitzers: **son fils** sein/ihr Sohn; **sa fille** seine/ihre Tochter.

Es wird also nicht klar, ob es sich bei dem Elternteil nun um Mutter oder Vater handelt.

Merke: Vor Wörtern, die mit Vokal oder stummem **h** anfangen, steht immer **mon** bzw. **ton** oder **son**, also: **mon amie** meine Freundin, **son histoire** seine/ihre Geschichte.

Demonstrativpronomen

Singular		Plural	
♂	♀	♂	♀
ce pain dieses Brot	**cette pomme** dieser Apfel	**ces pains** diese Brote	**ces pommes** diese Äpfel

Merke: Vor männlichen Wörtern, die mit Vokal oder stummem **h** anfangen, steht immer **cet**, also: **cet ami** dieser Freund, **cet hôtel** dieses Hotel.

„Das" und „es" heißt auf französisch **cela**; oft wird es zu **ça** zusammengezogen:
Cela/Ça me plait. Das gefällt mir.

Vor dem Verb **être** „sein" heißt „das" ce, also:
c'est ... das ist ...
ce sont ... das sind ...

Relativpronomen

der, die, das:
qui (Nominativ): **Je prends le train qui part à 8 heures.** Ich nehme den Zug, der um 8 Uhr abfährt.

que (Akkusativ): **C'est l'homme que j'ai vu.** Das ist der Mann, den ich gesehen habe.

Verben

Die wichtigsten Zeiten sind:
Das **Präsens**: Es drückt Ereignisse und Zustände in der Gegenwart aus: **Nicolas regarde son père.** Nicolas sieht seinen Vater an.

Das **Futur**: Es drückt eine Handlung oder einen Zustand in der Zukunft aus: **Demain, nous partirons en vacances.** Morgen werden wir in Urlaub fahren.
Das Futur bilden Sie aus dem Infinitiv (ohne Schluss-e) und der Endung: **donner + ai → donnerai; mettr(e) + ai → mettrai.**
Außerdem wird die Zukunft oft einfach mit dem Präsens von **aller** und dem Infinitiv ausgedrückt: **Demain, nous allons partir en vacances.**

Das **Imperfekt**: Es beschreibt einen Zustand oder eine wiederkehrende Handlung in der Vergangenheit. Es wird aus dem Stamm der ersten Person Plural Präsens und der Endung zusammengesetzt: **finiss(ons) + ais → finissais.**

Das **Perfekt**: Es drückt eine einmalige bzw. neu eintretende Handlung in der Vergangenheit aus: **Nicolas lisait; tout à coup, le téléphone a sonné.** Nicolas las; plötzlich klingelte das Telefon.
Das Perfekt wird meist aus dem Präsens von **avoir** und dem Partizip Perfekt gebildet: **j´ai + montré → j´ai montré.**
Reflexive Verben und einige Verben, die Bewegungen ausdrücken, werden nicht mit **avoir**, sondern mit **être** verbunden: **Je suis allé au cinéma.** Ich bin ins Kino gegangen.

Häufig werden Sie den **Konditional** hören: Er wird, wie der deutsche Konjunktiv, als Höflichkeitsform verwendet: **Vous pourriez me montrer ce livre?** Könnten Sie mir dieses Buch zeigen?
Außerdem brauchen Sie den Konditional zur Bildung von Bedingungssätzen: **Si j´avais assez d´argent, je t´en donnerais.** Wenn ich genügend Geld hätte, gäbe ich dir welches.
Den Konditional bildet man meist aus dem Infinitiv (ohne Schluss-e) und der Endung:
donner + ais → donnerais.

Regelmäßige Verben

Nach ihrer Endung werden die französischen Verben in drei Gruppen eingeteilt:
1. Verben auf -er
2. Verben auf -ir
3. Verben auf -re

Der ersten Gruppe gehören die weitaus meisten Verben an.

	-er	-ir	-re
Infinitiv	donner geben	finir beenden	mettre legen, stellen
Präsens	je donne tu donne*s* il donne nous donn*ons* vous donn*ez* ils donn*ent*	je fini*s* tu fini*s* il fini*t* nous finiss*ons* vous finiss*ez* ils finiss*ent*	je met*s* tu met*s* il met nous mett*ons* vous mett*ez* ils mett*ent*
Futur	je donner*ai* tu donner*as* il donner*a* nous donner*ons* vous donner*ez* ils donner*ont*	je finir*ai* tu finir*as* il finir*a* nous finir*ons* vous finir*ez* ils finir*ont*	je mettr*ai* tu mettr*as* il mettr*a* nous mettr*ons* vous mettr*ez* ils mettr*ont*
Imperfekt	je donn*ais* tu donn*ais* il donn*ait* nous donn*ions* vous donn*iez* ils donn*aient*	je finiss*ais* tu finiss*ais* il finiss*ait* nous finiss*ions* vous finiss*iez* ils finiss*aient*	je mett*ais* tu mett*ais* il mett*ait* nous mett*ions* vous mett*iez* ils mett*aient*

	-er	-ir	-re
Perfekt	j´ai donné tu as donné il a donné nous avons donné vous avez donné ils ont donné	j´ai fin*i* tu as fin*i* il a fin*i* nous avons fin*i* vous avez fin*i* ils ont fin*i*	j´ai mis* tu as mis il a mis nous avons mis vous avez mis ils ont mis
Konditional	je donner*ais* tu donner*ais* il donner*ait* nous donner*ions* vous donner*iez* ils donnerai*ent*	je finir*ais* tu finir*ais* il finir*ait* nous finir*ions* vous finir*iez* ils finir*aient*	je mettr*ais* tu mettr*ais* il mettr*ait* nous mettr*ions* vous mettr*iez* ils mettr*aient*

* **mettre** hat ein unregelmäßiges Partizip Perfekt: **mis.**

avoir und être

	avoir haben	être sein
Präsens	j'ai tu as il a nous avons vous avez ils ont	je suis tu es il est nous sommes vous êtes ils sont
Futur	j'aurai tu auras il aura nous aurons vous aurez ils auront	je serai tu seras il sera nous serons vous serez ils seront
Imperfekt	j'avais tu avais il avait nous avions vous aviez ils avaient	j'étais tu étais il était nous étions vous étiez ils étaient
Perfekt	j'ai eu tu as eu il a eu nous avons eu vous avez eu ils ont eu	j'ai été tu as été il a été nous avons été vous avez été ils ont été
Konditional	j'aurais tu aurais il aurait nous aurions vous auriez ils auraient	je serais tu serais il serait nous serions vous seriez ils seraient

Unregelmäßige Verben

Wir geben Ihnen hier alle Formen des Präsens und die unregelmäßigen Formen der wichtigsten unregelmäßigen Verben an.

aller gehen, fahren
Präsens: **je vais, tu vas, il va, nous allons, vous allez, ils vont**
Futur: **j´irai, tu iras** usw.
Perfekt: **je suis allé, tu es allé** usw.
Konditional: **j´irais, tu irais** usw.

boire trinken
Präsens: **je bois, tu bois, il boit, nous buvons, vous buvez, ils boivent**
Futur: **je boirai, tu boiras** usw.
Perfekt: **j´ai bu, tu as bu** usw.
Konditional: **je boirais, tu boirais** usw.

devoir müssen
Präsens: **je dois, tu dois, il doit, nous devons, vous devez, ils doivent**
Futur: **je devrai, tu devras** usw.
Perfekt: **j´ai dû, tu as dû** usw.
Konditional: **je devrais, tu devrais** usw.

faire machen, tun
Präsens: **je fais, tu fais, il fait, nous faisons, vous faites, ils font**
Futur: **je ferai, tu feras** usw.
Perfekt: **j´ai fait, tu as fait** usw.
Konditional: **je ferais, tu ferais** usw.

pouvoir können
Präsens: **je peux, tu peux, il peut, nous pouvons, vous pouvez, ils peuvent**
Futur: **je pourrai, tu pourras** usw.
Perfekt: **j´ai pu, tu as pu** usw.
Konditional: **je pourrais, tu pourrais** usw.

prendre nehmen
Präsens: je prends, tu prends, il prend, nous prenons, vous prenez, ils prennent
Futur: je prendrai, tu prendras usw.
Perfekt: j´ai pris, tu as pris usw.
Konditional: je prendrais, tu prendrais usw.

savoir wissen
Präsens: je sais, tu sais, il sait, nous savons, vous savez, ils savent
Futur: je saurai, tu sauras usw.
Perfekt: j´ai su, tu as su usw.
Konditional: je saurais, tu saurais usw.

venir kommen
Präsens: je viens, tu viens, il vient, nous venons, vous venez, ils viennent
Futur: je viendrai, tu viendras usw.
Perfekt: je suis venu, tu es venu usw.
Konditional: je viendrais, tu viendrais usw.

vouloir wollen
Präsens: je veux, tu veux, il veut, nous voulons, vous voulez, ils veulent
Futur: je voudrai, tu voudras usw.
Perfekt: j´ai voulu, tu as voulu usw.
Konditional: je voudrais, tu voudrais usw.

Verneinung

Die Verneinung bilden Sie mit **ne** und einem weiteren Wort wie **pas, plus** usw. Diese beiden Wörter umrahmen das Verb. In der Umgangssprache wird **ne** aber oft weggelassen, sodass nur **pas, plus** usw. die Verneinung anzeigen.

1. nicht: **ne . . . pas**
   Ce n´est pas ma valise. Das ist nicht mein Koffer.
2. nichts: **ne . . . rien**
   Je ne comprends rien. Ich verstehe nichts.
3. nicht mehr/kein . . . mehr: **ne . . . plus**
   Nous n´avons plus d´essence. Wir haben kein Benzin mehr.
4. niemand: **ne . . . personne**
   Je n´ai vu personne. Ich habe niemanden gesehen.
5. nie: **ne . . . jamais**
   Il ne fait jamais la vaisselle. Er spült nie ab.

Frage

Die Bildung der Frage

Es gibt prinzipiell drei Möglichkeiten, eine Frage zu bilden:

1. durch das Fragewort **est-ce que**:
   Est-ce que tu es content? Bist du zufrieden?
2. durch Umstellung von Verb und Subjekt:
   Es-tu content? Bist du zufrieden?
3. durch Anheben der Stimme am Ende des Aussagesatzes:
   Tu es content? Bist du zufrieden?

Reisewörterbuch Deutsch – Französisch

A

ab à partir de a par'tir dö; **~ und zu de temps en temps** dö tãs_ã tã
abbiegen tourner tur'ne
Abend le soir lö ßoar
Abendessen le dîner lö di'ne
aber mais mä
abfahren partir par'tir
Abfahrt le départ lö de'par
Abflug le départ lö de'par
abholen aller chercher a'le schär'sche
sich abmelden déclarer son départ dekla're ßõ de'par
abnehmen maigrir mä'grir; (*Telefon*) **décrocher** dekrɔ'sche
Abreise le départ lö de'par
abreisen partir par'tir
absagen annuler anü'le
abschließen fermer à clé fär'me a kle
Absicht l'intention *f* lëtã'ßjõ
absichtlich exprès äkß'prä
Abstand la distance la diß'tãß
Abteilung (*Behörde, Firma*) **le service** lö ßär'wiß; (*Kaufhaus*) **le rayon** lö rä'jõ
abwesend absent a'pßã
abziehen déduire de'düir
achtgeben (auf) faire attention (à) fär atã'ßjõ (a)
Adresse l'adresse *f* la'dräß
ähnlich semblable ßã'blablö; **~ sein ressembler** rößã'ble
aktiv actif ak'tif
Akzent l'accent *m* la'kßã
alle tous *m pl* tuß,**toutes** *f pl* tut
allein seul ßöl
alles tout tu
allmählich progressif prɔgrä'ßif; *adv* **peu à peu** pö a pö
als (*zeitl*) **quand** kã; (*Vergleich*) **que** kö; **~ ob comme si** kɔm ßi
also donc dõk
alt vieux wjö, *f:* **vieille** wjäj
Alter l'âge *m* lasch
Ampel le feu (de signalisation) lö fö (dö ßinjalisa'ßjõ)
sich amüsieren s'amuser ßamü'se
an à a; **am Meer au bord de la mer** o bɔr dö la mär; **am Montag lundi** lẽ'di
anbieten offrir ɔ'frir
Andenken le souvenir lö ßuw'nir
anderer autre 'otrö
ändern changer schã'sche
anders autrement otrö'mã
Anfang le début lö de'bü
anfangen commencer kɔmã'ße
Anfänger le débutant lö debü'tã; **~in la débutante** la debü'tãt
anfordern réclamer rekla'me
Angebot l'offre *f* 'lɔfrö
angenehm agréable agre'ablö
Angestellte l'employée *f* lãploa'je; **~r l'employé** *m* lãploa'je
angezogen habillé abi'je
Angst la peur la pör
anhalten arrêter arä'te; (*selbst*) **s'arrêter** ßarä'te
anklopfen frapper fra'pe
ankommen arriver ari'we; **es kommt darauf an cela dépend** ßö'la de'pã
Ankunft l'arrivée *f* lari'we
sich anmelden (*im Hotel*) **déclarer son arrivée** dekla're ßõn_ari'we; (*Kurs*) **s'inscrire** ßëß'krir

annehmen accepter akßä'pte; (*vermuten*) **supposer** ßüpɔ'se
annullieren annuler anü'le
Anruf le coup de téléphone lö ku dö tele'fɔn
anrufen téléphoner telefɔ'ne
anscheinend apparemment apara'mã
ansehen regarder rögar'de
Ansicht la vue la wü; (*Meinung*) **l'opinion** *f* lɔpi'njõ
Ansichtskarte la carte postale la kart pɔß'tal
anstatt au lieu de o ljö dö
anstoßen trinquer trẽ'ke
sich anstrengen faire des efforts fär des‿e'fɔr
anstrengend fatigant fati'gã
Antrag la demande la dö'mãd
Antwort la réponse la re'põß
antworten répondre re'põdrö
anwesend présent pre'sã
anzahlen verser un acompte wär'ße ẽn‿a'kõt
Anzahlung l'acompte *m* la'kõt
anzeigen (*Polizei*) **déposer une plainte** depo'se ün plẽt
sich anziehen s'habiller ßabi'je
anzünden allumer alü'me
Apparat l'appareil *m* lapa'räj
Arbeit le travail lö tra'waj
arbeiten travailler trawa'je
arbeitslos sein être au chômage ätr o scho'masch
sich ärgern se fâcher ßö fa'sche
arm pauvre 'powrö
Art la sorte la ßort; (*Weise*) **la façon** la fa'ßõ; **auf diese ~ de cette façon** dö ßät fa'ßõ
Aschenbecher le cendrier lö ßãdri'je
Atem la respiration la räßpira'ßjõ
atmen respirer räßpi're
auch aussi o'ßi
auf sur ßür
aufbewahren garder gar'de
aufbrechen (*losgehen, abreisen*) **partir** par'tir
Aufenthalt le séjour lö ße'schur
auffordern (zu) inviter (à) ẽwi'te (a)
aufgeregt excité äkßi'te
aufhören s'arrêter ßarä'te
aufmachen ouvrir u'wrir
aufnehmen (*Foto*) **photographier** fɔtɔgra'fje; (*Ton*) **enregistrer** ãröschiß'tre; (*empfangen*) **accueillir** akö'jir
aufpassen faire attention fär atã'ßjõ
aufräumen ranger rã'sche
sich aufregen s'énerver ßenär'we
aufregend passionnant paßjɔ'nã
aufschieben remettre rö'mätrö
aufschreiben noter nɔ'te
aufstehen se lever ßö lö'we
aufwachen se réveiller ßö rewä'je
aufwärts vers le haut wär lö o
Aufzug l'ascenseur *m* laßã'ßör
Augenblick l'instant *m* lẽß'tã
aus (*Herkunft*) **de** dö; (*Material*) **en** ã; (*vorbei*) **fini** fi'ni
ausdrücken exprimer äkßpri'me
ausdrücklich exprès äkß'prä
Ausfahrt la sortie la ßɔr'ti
Ausflug l'excursion *f* läkßkür'ßjõ
ausführlich détaillé deta'je; *adv* **en détail** ã de'taj
ausfüllen (*Formular*) **remplir** rã'plir
Ausgang la sortie la ßɔr'ti
ausgeben dépenser depã'ße
ausgebucht complet kõ'plä
ausgehen sortir ßɔr'tir
ausgeschlossen exclu äkß'klü
ausgezeichnet excellent äkße'lã

Auskunft le renseignement lö rãßänj'mã; (*Telefon*) **les renseignements** *m pl* le rãßänj'mã
Ausland l'étranger *m* letrã'sche; **im ~ à l'étranger** a letrã'sche
Ausländer l'étranger *m* letrã'sche; **~in l'étrangère** *f* letrã'schär
ausländisch étranger etrã'sche
ausmachen (*vereinbaren*) **convenir** kõwö'nir; (*Licht*) **éteindre** e'tẽdrö
Ausnahme l'exception *f* läkßäp'ßjõ
auspacken défaire ses valises de'fär ße wa'lis
ausreichen suffire ßü'fir
ausreichend suffisant ßüfi'sã
sich ausruhen se reposer ßö röpɔ'se
ausschalten (*Licht*) **éteindre** e'tẽdrö; (*Maschine*) **arrêter** arä'te
Aussehen l'apparence *f* lapa'rãß
außen dehors dö'ɔr
außer à part a par
außerdem de plus dö plüß
außerhalb à l'extérieur a läkßte'rjör
Aussicht la vue la wü
Aussprache la prononciation la prɔnõßja'ßjõ
aussprechen prononcer prɔnõ'ße
aussteigen descendre de'ßãdrö
Ausstellung l'exposition *f* läkßposi'ßjõ
Austausch l'échange *m* le'schãsch
Ausverkauf les soldes *f pl* le 'ßɔldö
ausverkauft complet kõ'plä
Auswahl le choix lö schoa
auswählen choisir schoa'sir
Ausweis la pièce d'identité la pjäß didãti'te
ausziehen (*Kleidungsstück*) **enlever** ãl'we; (*Wohnung*) **déménager** demena'sche
sich ausziehen se déshabiller ßö desabi'je
Automat le distributeur automatique lö dißtribü'tör ɔtɔma'tik
automatisch automatique ɔtɔma'tik

B

Bad le bain lö bẽ; (*Badezimmer*) **la salle de bains** la ßal dö bẽ
baden prendre un bain prãdr ẽ bẽ
bald bientôt bjẽ'to
Balkon le balcon lö bal'kõ
Ball (*Spiel*) **la balle** la bal; (*Tanz*) **le bal** lö bal
Bank la banque la bãk; (*Parkbank*) **le banc** lö bã
bar comptant kõ'tã; **~ zahlen payer comptant** pä'je kõ'tã
Bargeld l'argent *m* **liquide** lar'schã li'kid
Batterie la pile la pil; (*Auto*) **la batterie** la bat'ri
bauen construire kõß'trüir
Bauer le paysan lö pei'sã
Bauernhof la ferme la 'färmö
Baum l'arbre *m* 'larbrö
Baustelle le chantier lö schã'tje
beantworten répondre re'põdrö
bedauern regretter rögrä'te
bedeuten signifier ßinji'fje
Bedeutung la signification la ßinjifika'ßjõ
bedienen servir ßär'wir

Bedingung la condition la kõdi'ßjõ; **unter der ~, dass à condition que** a kõdi'ßjõ kö
sich beeilen se dépêcher ßö depä'sche
beeindruckend impressionnant ẽpräßjɔ'nã
beenden terminer tärmi'ne
befestigen fixer fi'kße
sich befinden se trouver ßö tru'we
befürchten craindre 'krẽdrö
begegnen rencontrer rãkõ'tre
begeistert enthousiasmé ãtusjas'me
Beginn le début lö de'bü
beginnen commencer kɔmã'ße
begleiten accompagner akõpa'nje
begreifen comprendre kõ'prãdrö
begrüßen saluer ßalü'e
behalten garder gar'de
behandeln traiter trä'te
Behandlung le traitement lö trät'mã
behaupten affirmer afir'me
behindern gêner schä'ne
bei (*nah*) **près de** prä dö; **~ j-m chez quelqu'un** sche käl'kẽ
beide les deux le dö; **alle ~ tous les deux** tu le dö
beinahe presque 'präßkö
Beispiel l'exemple *m* lä'gsãplö; **zum ~ par exemple** par ä'gsãplö
beißen mordre 'mɔrdrö
bekannt connu kɔ'nü
Bekanntschaft la connaissance la kɔnä'ßãß
sich beklagen se plaindre ßö 'plẽdrö
bekommen recevoir rößö'woar
belästigen importuner ẽpɔrtü'ne
beleidigen insulter ẽßül'te
Beleidigung l'insulte *f* lẽ'ßült
Belgien la Belgique la bäl'schik
bemerken remarquer römar'ke
Bemerkung la remarque la rö'mark
benachrichtigen prévenir prew'nir
sich benehmen se comporter ßö kõpɔr'te
benutzen utiliser ütili'se
beobachten observer ɔpßär'we
bequem confortable kõfɔr'tablö
bereit prêt prä
Berg la montagne la mõ'tanj
berichtigen rectifier räkti'fje
Beruf la profession la prɔfä'ßjõ
beruhigen calmer kal'me
berühmt célèbre ße'läbrö
berühren toucher tu'sche
beschädigen abîmer abi'me
beschäftigen occuper ɔkü'pe
beschließen décider deßi'de
beschreiben décrire de'krir
Beschreibung la description la däßkrip'ßjõ
beschützen protéger prɔte'sche
sich beschweren se plaindre ßö 'plẽdrö
besetzt occupé ɔkü'pe
besichtigen visiter wisi'te
Besichtigung la visite la wi'sit
besitzen posséder pɔße'de
Besitzer le propriétaire lö prɔprije'tär
besonderer particulier partikü'lje; **besonders en particulier** ã partikü'lje
besorgen procurer prɔkü're
besorgt inquiet ẽ'kjä
besprechen discuter dißkü'te
besser meilleur mä'jör; *adv* **mieux** mjö

bestätigen confirmer kõfir'me
Bestätigung la confirmation la kõfirma'ßjõ
bestellen commander kɔmã'de
Bestellung la commande la kɔ'mãd
bester le meilleur lö mä'jör
bestimmt certain ßär'tẽ; *adv* **certainement** ßärtän'mã
bestrafen punir pü'nir
Besuch la visite la wi'sit
j-n besuchen rendre visite à quelqu'un 'rãdrö wi'sit‿a käl'kẽ
Betrag le montant lö mõ'tã
betrügen tromper trõ'pe; (*um Geld*) **escroquer** äßkro'ke
beunruhigt inquiet ẽ'kjä
bevor avant de + *Inf* a'wã dö
bevorzugen préférer prefe're
bewacht surveillé ßürwä'je
bewegen bouger bu'sche; **sich ~ bouger** bu'sche
Bewegung le mouvement lö muw'mã
Beweis la preuve la pröw
beweisen prouver pru'we
Bewohner l'habitant *m* labi'tã
bewundern admirer admi're
Bewunderung l'admiration *f* ladmira'ßjõ
bewusst conscient kõ'ßjã; *adv* **consciemment** kõßja'mã
Bewusstsein la conscience la kõ'ßjãß
bezahlen payer pä'je
Bibliothek la bibliothèque la biblio'täk
Bild l'image *f* li'masch; (*Kunst*) **le tableau** lö ta'blo; (*Foto*) **la photo** la fɔ'to
bilden former fɔr'me
billig bon marché bõ mar'sche; **~er meilleur marché** mä'jör mar'sche
bis jusqu'à schüßka
bisher jusqu'ici schüßk‿i'ßi
Biss la morsure la mɔr'ßür; **ein bisschen un peu** ẽ pö
bitte s'il vous plaît ßil wu plä; (*gern geschehen*) **je vous en prie** schö wus‿ã pri; **wie ~? pardon?** par'dõ?
bitten (j-n um etw) demander (quelque chose à quelqu'un) dömã'de (kälkö schos a käl'kẽ)
Blatt la feuille la föj
bleiben rester räß'te
Blick le regard lö rö'gar; (*Ausblick*) **la vue** la wü
blind aveugle a'wöglö
blühen fleurir flö'rir
Blume la fleur la flör
Boden le sol lö ßɔl
Botschaft (*diplomatische Vertretung*) **l'ambassade** *f* lãba'ßad
Brand l'incendie *m* lẽßã'di
Brauch l'usage *m* lü'sasch
brauchen (etwas) avoir besoin (de) a'woar bö'soẽ (dö)
breit large larsch
brennen brûler brü'le
Brief la lettre la 'lätrö
Brieftasche le portefeuille lö pɔrtö'föj
Brille les lunettes *f pl* le lü'nät
bringen (*Sachen*) **apporter** apɔr'te; (*Personen*) **emmener** ãm'ne; **nach Hause ~ raccompagner** rakõpa'nje
Brücke le pont lö põ
Bruder le frère lö frär
Buch le livre lö 'liwrö
buchen réserver resär'we
Buchstabe la lettre la 'lätrö
buchstabieren épeler ep'le
Buchung la réservation la resärwa'ßjõ
Büro le bureau lö bü'ro

C

Café (*mit Kuchen*) **le salon de thé** lö sa'lõ dö te; (*Kneipe*) **le café** lö ka'fe
CD le CD lö ße'de
Cent le centime lö ßã'tim
Chef le chef lö schäf
Computer l'ordinateur lordina'tör
Creme la créme la kräm

D

da là la; (*weil*) **comme** kɔm
Dach le toit lö toa
dafür à la place a la plaß; **~ sein être pour** 'äträ pur
dagegen par contre par 'kõtrö; **~ sein être contre** 'ätrö 'kõtrö
damals autrefois otrö'foa
danach après a'prä
dankbar reconnaissant rökɔnä'ßã
danke merci mär'ßi
danken remercier römär'ßje
dann ensuite ã'ßüit
dass que kö
dasselbe la même chose la mäm schos
Datum la date la dat
dauern durer dü're
Decke (*Bettdecke*) **la couverture** la kuwär'tür; (*Zimmerdecke*) **le plafond** lö pla'fõ
denken (an) penser (à) pã'ße (a)
denn car kar
dennoch pourtant pur'tã
deshalb c'est pourquoi ßä pur'koa
deutlich clair klär
deutsch allemand al'mã
Deutschland l'Allemagne *f* lal'manj
dick épais e'pä; (*Menschen*) **gros** gro
Dienst le service lö ßär'wiß
Ding la chose la schos
direkt direct di'räkt
doch (*als Antwort*) **si** ßi
Dolmetscher(in) l'interprète *m, f* lẽtär'prät
doppelt double 'dublö
Dorf le village lö wi'lasch
dort là-bas la'ba
Dose la boîte la boat
Dosenöffner l'ouvre-boîte *m* luwrö‿'boat
draußen dehors dö'ɔr
drehen tourner tur'ne
dringend urgent ür'schã; *adv* **d'urgence** dür'schãß
drinnen dedans dö'dã
Droge la drogue la drɔg
drohen menacer möna'ße
Drohung la menace la mö'naß
drüben de l'autre côté de 'lotrö ko'te
drücken (*Knopf*) **appuyer** apüi'je; (*Schuhe usw*) **serrer** ße're; (*Tür*) **pousser** pu'ße
du tu tü; (*betont*) **toi** toa
dumm bête bät
dunkel sombre 'ßõbrö
dünn mince mẽß
durch par par; **quer ~ à travers** a tra'wär; (*mittels*) **grâce à** graß‿a
durchschnittlich moyen moa'jẽ, *f:* **moyenne** moa'jän; *adv* **en moyenne** ã moa'jän
Durchzug le courant d'air lö ku'rã där
dürfen pouvoir pu'woar
Durst la soif la ßoaf
Dusche la douche la dusch
duschen prendre une douche prãdr ün dusch

E

eben (*flach*) **plat** pla; (*zeitl*) **juste** 'schüßt
Ebene la plaine la plän
echt authentique otã'tik
Ecke le coin lö koẽ
egal: das ist mir egal cela m'est égal ßö'la mät e'gal
Ehe le mariage lö ma'rjasch
Ehefrau la femme la fam
Ehemann le mari lö ma'ri
eher plus tôt plü to
eigentlich proprement dit prɔprö'mã di; *adv* **au fond** o fõ
eilig pressé pre'ße; **ich habe es ~ je suis pressé** schö ßüi pre'ße
ein un ẽ,**~e une** *f* ün
einfach simple 'ßẽplö
Einfahrt l'entrée *f* lã'tre
Einfluss l'influence *f* lẽflü'ãß
Eingang l'entrée *f* lã'tre
einige quelques 'kälkö
sich einigen (auf) se mettre d'accord (sur) ßö 'mätrö da'kɔr (ßür)
einkaufen faire des courses fär de kurß
einladen inviter ẽwi'te
Einladung l'invitation *f* lẽwita'ßjõ
einmal une fois ün foa
einpacken emballer ãba'le
einschalten brancher brã'sche
einschlafen s'endormir ßãdɔr'mir
einsteigen monter mõ'te
Eintritt l'entrée *f* lã'tre
einverstanden sein être d'accord 'ätrö da'kɔr
Einweihung l'inauguration *f* linogüra'ßjõ
einwickeln envelopper ãwlɔ'pe
Einzelheit le détail lö de'taj
einzeln *adv* **séparément** ßepare'mã
einzig unique ü'nik
elegant élégant ele'gã
elektrisch électrique eläk'trik
Eltern les parents *m pl* le pa'rã
empfangen recevoir rößö'woar
Empfang (*Hotel*) **la réception** la reßäp'ßjõ
empfehlen recommander rökɔmã'de
empfindlich sensible ßã'ßiblö
Ende (*zeitl*) **la fin** la fẽ; (*örtl*) **le bout** lö bu
enden se terminer ßö tärmi'ne
endlich enfin ã'fẽ
eng étroit e'troa
Enkel le petit-fils lö pöti'fiß; **~in la petite-fille** la pö'tit fij
Entfernung la distance la diß'tãß
enthalten contenir kõtö'nir
entschädigen dédommager dedɔma'sche
entscheiden décider deßi'de
Entscheidung la décision la deßi'sjõ
entschuldigen excuser äkßkü'se
enttäuschen décevoir deßö'woar; **ich bin enttäuscht je suis déçu** schö ßüi de'ßü
Enttäuschung la déception la deßäp'ßjõ
entweder ... oder ou bien ... ou bien u bjẽ u bjẽ
er il il; (*betont*) **lui** lüi
Erde la terre la tär
Erdgeschoss le rez-de-chaussée lö redscho'ße
Ereignis l'événement *m* lewän'mã
erfahren apprendre a'prãdrö
Erfahrung l'expérience *f* läkßpe'rjãß

erfinden inventer ẽwã'te
Erfolg le succès lö ßü'kßä
ergänzen compléter kõple'te
Ergebnis le résultat lö resül'ta
erinnern: j-n an etw erinnern rappeler quelque chose à quelqu'un rap'le kälkö schos‿a käl'kẽ; **sich an etw erinnern se rappeler quelque chose** ßö rap'le kälkö schos
Erinnerung le souvenir lö ßuw'nir
erklären expliquer äkßpli'ke
Erklärung l'explication *f* läkßplika'ßjõ
sich erkundigen (nach) se renseigner (sur) ßö rãßä'nje (ßür)
erlauben permettre pär'mätrö
Erlaubnis l'autorisation *f* lɔtɔrisa'ßjõ
Ermäßigung la réduction la redük'ßjõ
ernst sérieux ße'rjö
erreichen atteindre a'tẽdrö; (*Zug usw*) **attraper** atra'pe
erschöpft épuisé epüi'se
ersetzen remplacer rãpla'ße
ertragen supporter ßüpɔr'te
Erwachsene(r) l'adulte *m, f* la'dült
erwähnen mentionner mãßjɔ'ne
erwarten attendre a'tãdrö
erzählen raconter rakõ'te
essen manger mã'sche; **~ gehen aller manger (au restaurant)** a'le mã'sche (o rãßto'rã)
Etage l'étage *m* le'tasch
etwa à peu près a pö prä
etwas quelque chose kälkö schos; (*ein wenig*) **un peu (de)** ẽ pö (dö)
Euro l'euro *m* lö'ro
Europa l'Europe *f* lö'rɔp
europäisch européen örope'ẽ
extra à part a par

F

Fabrik l'usine *f* lü'sin
Faden le fil lö fil
fahren aller a'le; (*lenken*) **conduire** kõ'düir
Fahrer le conducteur lö kõdük'tör
Fahrrad la bicyclette la bißi'klät
Fahrstuhl l'ascenseur *m* laßã'ßör
Fahrt le trajet lö tra'schä
Fall le cas lö ka
fallen tomber tõ'be
falsch faux fo, *f:* **fausse** foß
Familie la famille la fa'mij
fangen attraper atra'pe
Fantasie l'imagination *f* limaschina'ßjõ
Farbe la couleur la ku'lör
fast presque 'präßkö
fehlen manquer mã'ke
Fehler défaut *m* de'fo; (*Schuld*) **faute** *f* fot
Feiertag le jour férié lö schur fe'rje
fein fin fẽ
Feld le champ lö schã
Fels(en) le rocher lö rɔ'sche
Fenster la fenêtre la fö'nätrö
Ferien les vacances *f pl* le wa'kãß
Fernsehen la télévision la telewi'sjõ
fertig prêt prä
fest solide ßɔ'lid
Fest la fête la fät
feucht humide ü'mid
Feuchtigkeit l'humidité *f* lümidi'te

Feuer le feu lö fö
Feuerzeug le briquet lö bri'kä
Film (*Kino*) **le film** lö film; (*Foto*) **la pellicule** la päli'kül
finden trouver tru'we
fischen pêcher pä'sche
flach plat pla
Flamme la flamme la flam
Flasche la bouteille la bu'täj
Fleck la tache la tasch
fliegen voler wɔ'le
fließen couler ku'le
Flügel l'aile *f* läl
Fluss la rivière la ri'wjär
flüssig liquide li'kid
Folge la conséquence la kõße'kãß
folgen suivre 'ßüiwrö
fordern exiger ägsi'sche
Form la forme la form
Formular le formulaire lö fɔrmü'lär
fortsetzen continuer kõti'nüe
Foto la photo la fɔ'to
fotografieren prendre des photos 'prãdrö de fɔ'to
Frage la question la käß'tjõ
fragen demander dömã'de
Frankreich la France la frãß
französisch français frã'ßä
Frau la femme la fam; (*Anrede oder mit Namen*) **madame** ma'dam
frei libre 'librö
Freude la joie la schoa
sich freuen être heureux ätr ö'rö, *f:* **être heureuse** ätr‿ö'rös
Freund l'ami *m* la'mi; **~in l'amie** *f* la'mi
freundlich aimable ä'mablö
Friede la paix la pä
frieren avoir froid a'woar froa
frisch frais frä, *f:* **fraîche** fräsch
froh content kõ'tã
früh tôt to
fühlen sentir ßã'tir
führen conduire kõ'düir
funktionieren fonctionner fõkßjɔ'ne
für pour pur
fürchten avoir peur a'woar pör
fürchterlich terrible tä'riblö
Fußgänger le piéton lö pje'tõ

G

ganz tout tu; *adv* **complètement** kõplät'mã
Garantie la garantie la garã'ti
gar nicht pas du tout pa dü tu
Garten le jardin lö schar'dẽ
Gas le gaz lö gas
Gast l'invité lẽwi'te; (*zahlender Gast*) **le client** lö kli'jã
Gebäude le bâtiment lö bati'mã
geben donner dɔ'ne
Gebirge les montagnes *f pl* le mõ'tanj
geboren: ich bin am ... ~ je suis né le ... schö ßüi ne lö
gebrauchen utiliser ütili'se
Geburt la naissance la nä'ßãß
Geburtstag l'anniversaire *m* laniwär'ßär
Gedächtnis la mémoire la me'moar
Gedanke l'idée *f* li'de
Geduld la patience la pa'ßjãß
geduldig patient pa'ßjã
Gefahr le danger lö dã'sche
gefährlich dangereux dãsch'rö
gefallen plaire plär
Gefühl le sentiment lö ßãti'mã
gegen contre 'kõtrö; (*in Richtung u. zeitl*) **vers** wär
Gegend la région la re'schjõ
Gegenstand l'objet *m* lɔb'schä

Gegenteil le contraire lö kõ'trär; **im ~ au contraire** o kõ'trär
gegenüber (von) vis-à-vis (de) wisa'wi (dö)
Geheimnis le secret lö ßö'krä
gehen (*zu Fuß*) **marcher** mar'sche; (*irgendwohin*) **aller** a'le; **Wie geht's? Ça va?** ßa wa?
gehorchen obéir ɔbe'ir
gehören appartenir apartö'nir
Geld l'argent *m* lar'schã
Gelegenheit l'occasion *f* lɔka'sjõ
gelingen réussir reü'ßir
gemeinsam commun kɔ'mẽ
genau exact e'gsakt
genug assez a'ße
geöffnet ouvert u'wär
Gepäck les bagages *m pl* le ba'gasch
gerade droit droa
geradeaus tout droit tu droa
Geräusch le bruit lö brüi
Gericht (*Essen*) **le plat** lö pla; (*Justiz*) **le tribunal** lö tribü'nal
gern volontiers wɔlõ'tje
Geruch l'odeur *f* lɔ'dör
Gesang le chant lö schã
Geschäft (*Laden*) **le magasin** lö maga'sẽ; (*Handel*) **l'affaire** *f* la'fär
geschehen arriver ari'we
Geschenk le cadeau lö ka'do
Geschichte l'histoire *f* liß'toar
geschickt adroit a'droa
Geschirr la vaisselle la wä'ßäl
Geschlecht le sexe lö ßäkß
geschlossen fermé fär'me
Geschmack le goût lö gu
Geschwindigkeit la vitesse la wi'täß
Gesellschaft la société la ßɔßje'te
Gesetz la loi la loa
gesperrt barré ba're
Gespräch la conversation la kõwärßa'ßjõ
gestehen avouer awu'e
gestern hier jär
gestohlen volé wɔ'le
gestürzt tombé tõ'be
gesund (*Klima usw*) **sain** ßẽ; (*Person*) **en bonne santé** ã bɔn ßã'te
Gesundheit la santé la ßã'te
Getränk la boisson la boa'ßõ
getrennt séparé ßepa're
Gewicht le poids lö poa
gewiss certain ßär'tẽ
Gewissheit la certitude la ßärti'tüd
sich gewöhnen (an) s'habituer (à) ßabitü'e (a)
Gewohnheit l'habitude *f* labi'tüd
gießen arroser aro'se
giftig (*Tier*) **venimeux** wöni'mö; (*Pflanze*) **vénéneux** wene'nö
Gipfel le sommet lö ßɔ'mä
Gitter la grille la grij
glänzend brillant bri'jã
Glas le verre lö wär
glatt (*rutschig*) **glissant** gli'ßã
glauben croire kroar
gleich pareil pa'räj; (*sofort*) **tout de suite** tut‿'ßüit
gleichzeitig en même temps ã mäm tã
Glück la chance la schãß
glücklich heureux ö'rö
Glückwünsche les félicitations *f pl* le felißita'ßjõ
Gras l'herbe *f* 'lärbö
gratis gratuit gra'tüi
gratulieren féliciter felißi'te
Grenze la frontière la frõ'tjär
groß grand grã
großartig magnifique manji'fik

Größe (*Kleidung*) **la taille** la taj; (*Schuhe*) **la pointure** la poẽ'tür
Großmutter la grand-mère la grã'mär
Großvater le grand-père lö grã'pär
Grund la raison la rä'sõ
Gruppe le groupe lö grup
gültig valable wa'lablö
gut bon bõ; *adv* **bien** bjẽ
Gymnasium le lycée lö li'ße

H

haben avoir a'woar; **ich hätte gern j'aimerais** schäm'rä
halb demi dö'mi; *adv* **à moitié** a moa'tje
Hälfte la moitié la moa'tje
Halt! Stop! ßtɔp!
halten tenir tö'nir; (*stehenbleiben*) **s'arrêter** ßarä'te
Handtuch la serviette la ßär'wjät
hart dur dür
hässlich laid lä
häufig fréquent fre'kã; *adv* **fréquemment** freka'mã
Hauptsaison la haute saison la ot ßä'sõ
Hauptstadt la capitale la kapi'tal
Hauptstraße la rue principale la rü prẽßi'pal
Haus la maison la mä'sõ
hausgemacht (fait) maison (fä) mä'sõ
heilen guérir ge'rir
heiraten (j-n) se marier (avec quelqu'un) ßö ma'rje (a'wäk käl'kẽ)
heiß chaud scho
heißen (*bedeuten*) **signifier** ßinji'fje; (*sich nennen*) **s'appeler** ßap'le
heizen chauffer scho'fe
Heizung le chauffage lö scho'fasch
helfen aider ä'de
hell clair klär
herabsetzen (*Preis*) **baisser** bä'ße
heraufsetzen (*Preis*) **augmenter** ɔgmã'te
Herein! Entrez! ã'tre!
hereinkommen entrer ã'tre
Herr monsieur mö'ßjö
herrlich magnifique manji'fik
herstellen fabriquer fabri'ke
Herstellung la fabrication la fabrika'ßjõ
heute aujourd'hui oschur'düi
hier Ici i'ßi
Hilfe l'aide *f* läd
Himmel le ciel lö ßjäl
hinaufgehen monter mõ'te
hinausgehen sortir ßɔr'tir
hineingehen entrer ã'tre
sich hinlegen s'allonger ßalõ'sche
sich hinsetzen s'asseoir ßa'ßoar
hinten derrière där'jär
hinter derrière där'jär
hinuntergehen descendre de'ßãdrö
hinzufügen ajouter aschu'te
Hitze la chaleur la scha'lör
hoch haut o
höchstens au plus o plüß
Hochzeit le mariage lö ma'rjasch
Hof la cour la kur
hoffen espérer äßpe're
Hoffnung l'espoir *m* läß'poar
höflich poli pɔ'li
Höflichkeit la politesse la pɔli'täß

Höhe la hauteur la o'tör; (*Berg, Flugzeug*) **l'altitude** *f* lalti'tüd
holen aller chercher a'le schär'sche
Holz le bois lö boa
hören entendre ã'tãdrö
hübsch joli schɔ'li
Hügel la colline la kɔ'lin
Hund le chien lö schjẽ
Hunger la faim la fẽ

I

ich je schö; (*betont*) **moi** moa
Idee l'idée *f* li'de
ihr (*2. Pers pl*) **vous** wu
Imbiss le casse-croûte lö kaß'krut
immer toujours tu'schur
imstande sein (zu) être capable (de) 'ätrö ka'pablö (dö)
in dans dã,**en** ã
inbegriffen compris kõ'pri
Information l'information *f* lẽfɔrma'ßjõ
informieren informer ẽfɔr'me
innen dedans dö'dã
innerhalb (*zeitl*) **en** ã
Insekt l'insecte *m* lẽ'ßäktö
Insel l'île *f* lil
insgesamt en tout ã tu
intelligent intelligent ẽteli'schã
interessant intéressant ẽtere'ßã
interessieren intéresser ẽtere'ße; **sich ~ (für) s'intéresser (à)** ßẽterä'ße (a)
international international ẽtärnaßjɔ'nal
inzwischen entre-temps ãtrö'tã
sich irren se tromper ßö trõ'pe
Irrtum l'erreur *f* lä'rör

J

ja oui ui
Jahr l'an *m* lã; (*als Dauer*) **l'année** *f* la'ne
Jahrhundert le siècle lö 'ßjäklö
jede(-r, -s) *adj* **chaque** schak; *Subst* **chacun** *m* scha'kẽ, **chacune** *f* scha'kün
jedesmal chaque fois schak foa
jemand quelqu'un käl'kẽ
jetzt maintenant mẽt'nã
jung jeune schön
Junge le garçon lö gar'ßõ

K

Kalender le calendrier lö kalãdri'je
kalt froid froa
Kamin la cheminée la schömi'ne
kaputt cassé ka'ße
Kasse la caisse la käß
kaufen acheter asch'te
kaum à peine a pän
keine(-r, -s) *adj* **aucun** *m* o'kẽ; **aucune** *f* o'kyn, *Subst* **personne** *m, f* pär'ßɔn
Keller la cave la kaw
kennen connaître kɔ'nätrö
kennenlernen (j-n) faire la connaissance (de quelqu'un) fär la kɔnä'ßãß (dö käl'kẽ)
Kilo le kilo lö ki'lo
Kilometer le kilomètre lö kilɔ'mätrö
Kind l'enfant *m* lã'fã
Kissen le coussin lö ku'ßẽ; (*Kopfkissen*) **l'oreiller** *m* lɔrä'je
Kiste la caisse la käß
klar clair klär

kleben coller kɔ'le
klein petit pö'ti
klettern grimper grẽ'pe
Klima le climat lö kli'ma
Klingel la sonnette la ßɔ'nät
klingeln sonner ßɔ'ne
klopfen frapper fra'pe
klug intelligent ẽteli'schã
Knopf le bouton lö bu'tõ
Knoten le nœud lö nö
kochen faire la cuisine fär la küi'sin; **das Wasser kocht l'eau bout** lo bu
kommen venir wö'nir
können pouvoir pu'woar
Konsulat le consulat lö kõßü'la
kontrollieren contrôler kõtro'le
Korb le panier lö pa'nje
korrekt correct kɔ'räkt
kosten coûter ku'te
kostenlos gratuit gra'tüi
Krach le bruit lö brüi
Kraft la force la 'fɔrßö
kräftig fort fɔr
krank malade ma'lad; **~ werden tomber malade** tõ'be ma'lad
Krankheit la maladie la mala'di
Kreis le cercle lö 'ßärklö
kritisieren critiquer kriti'ke
Küche la cuisine la küi'sin
kühl frais frä, *f:* **fraîche** fräsch
Kühlschrank le réfrigérateur lö refrischera'tör
Kultur la culture la kül'tür
sich kümmern (um) s'occuper (de) ßɔkü'pe (dö)
Kunde le client lö kli'jã
Kundin la cliente la kli'jät
Kunst l'art *m* lar
Künstler(in) l'artiste *m, f* lar'tißt
kurz court kur; *adv* **brièvement** briäw'mã
Kuss le baiser lö bä'se
küssen embrasser ãbra'ße

L

lächeln sourire ßu'rir
lachen rire rir
lächerlich ridicule ridi'kül
Lage la situation la ßitüa'ßjõ
Lampe la lampe la lãp
Land le pays lö pe'i; (*im Gegensatz zur Stadt*) **la campagne** la kã'panj
lang long lõ, *f:* **longue** lõg; *adv* **longtemps** lõ'tã
Länge la longueur la lõ'gör
langsam lent lã
langweilig ennuyeux ãnüi'jö
lassen laisser lä'ße
laufen courir ku'rir
laut bruyant brü'jã; **~ sprechen parler fort** par'le fɔr
läuten sonner ßɔ'ne
Leben la vie la wi
leben vivre 'wiwrö
ledig célibataire ßeliba'tär
leer vide wid
legen mettre 'mätrö
leicht (*Gewicht*) **léger** le'sche; (*einfach*) **facile** fa'ßil
leider malheureusement malörös'mã
leihen (*j-m etw*) **prêter** prä'te; (*von j-m etw*) **emprunter** ãprẽ'te
leise silencieux ßilã'ßjö; **doucement** *adv* duß'mã
lernen apprendre a'prãdrö
lesen lire lir
letzter dernier där'nje
Leute les gens le schã
Licht la lumière la lü'mjär
lieb cher schär
Liebe l'amour *m* la'mur
lieben aimer ä'me
lieber: ich würde ~ j'aimerais mieux ... schäm'rä mjö; **~ mögen préférer** prefe're

Lied la chanson la schã'ßõ
liefern livrer li'wre
liegen être couché 'ätrö ku'sche; (*sich befinden*) **se trouver** ßö tru'we
Linie la ligne la linj
links à gauche a gosch
Liste la liste la 'lißtö
Liter le litre lö 'litrö
Loch le trou lö tru
logisch logique lɔ'schik
Lohn le salaire lö ßa'lär
löschen éteindre e'tẽdrö
Lösung la solution la ßɔlü'ßjõ
Luft l'air *m* lär
lüften aérer ae're
Lüge le mensonge lö mã'ßõsch
lügen mentir mã'tir
Lust: ~ haben (zu) avoir envie (de) a'woar ã'wi (dö)
lustig amusant amü'sã

M

machen faire fär; **das macht nichts cela ne fait rien** ßö'la nö fä rjẽ; **Urlaub ~ passer des vacances** pa'ße de wa'kãß
Mädchen la jeune fille la schön fij; **kleines ~ la petite fille** la pö'tit fij
mager maigre 'mägrö
Mama maman *f* ma'mã
man on õ
manchmal quelquefois kälkö'foa
Mann l'homme *m* lɔm
Marke la marque la 'markö
Markt le marché lö mar'sche
Maschine la machine la ma'schin
Maß la mesure la mö'sür
Material (*Stoff*) **la matière** la ma'tjär
Matratze le matelas lö mat'la
Mauer le mur lö mür
Meer la mer la mär
mehr plus plü(ß)
mehrere plusieurs plü'sjör
mehrmals plusieurs fois plü'sjör foa
Mehrwertsteuer la TVA la tewe'a
meinen penser pã'ße
Meinung l'opinion *f* lɔpi'njõ; **meiner ~ nach à mon avis** a mõn‿a'wi
meist le plus souvent lö plü ßu'wã
melden annoncer anõ'ße
Menge la quantité la kãti'te; (*Menschen*) **la foule** la ful
Mensch l'homme *m* lɔm
menschlich humain ü'mẽ
Mentalität la mentalité la mãtali'te
merken remarquer römar'ke; **sich ~ se rappeler** ßö rap'le
Merkmal la caractéristique la karakteri'ßtik
merkwürdig étrange e'trãsch
messen mesurer mäsü're
Metall le métal lö me'tal
Meter le mètre lö 'mätrö
Miete le loyer lö loa'je
mieten louer lu'e
minderjährig mineur mi'nör
mindestens au moins o moẽ
Minute la minute la mi'nüt
mischen mélanger melã'sche
Mischung le mélange lö me'lãsch
Misstrauen la méfiance la me'fjãß
Missverständnis le malentendu lö malãtã'dü
mit avec a'wäk
mitbringen (*Sache*) **apporter** apɔr'te; (*Person*) **amener** am'ne

Mitglied le membre lö 'mãbrö
mitkommen accompagner akõpa'nje
mitnehmen (*Sache*) **emporter** ãpɔr'te; (*Person*) **emmener** ãm'ne
Mittag le midi lö mi'di
Mitte le milieu lö mi'ljö
Mitteilung l'information *f* lẽfɔrma'ßjõ
Mittel le moyen lö moa'jẽ; (*Medikament*) **le remède** lö rö'mäd
Mittelmeer la Méditerranée la meditära'ne
Möbel le meuble lö 'möblö
Mode la mode la mɔd
modern moderne mɔ'därn
mögen aimer ä'me; **ich möchte je voudrais** schö wu'drä
möglich possible pɔ'ßiblö
Möglichkeit la possibilité la pɔßibili'te
Moment le moment lö mɔ'mã
Monat le mois lö moa
Mond la lune la lün
Morgen le matin lö ma'tẽ
morgen demain dö'mẽ
Motor le moteur lö mɔ'tör
müde fatigué fati'ge
Mühe la peine la pän; **es ist nicht der ~ wert cela ne vaut pas la peine** ßö'la nö wo pa la pän
Müll les ordures *f pl* les‿ɔr'dür
Mülleimer la poubelle la pu'bäl
Münze la pièce la pjäß
Musik la musique la mü'sik
müssen devoir dö'woar
Mutter la mère la mär
Muttersprache la langue maternelle la lãg matär'näl

N

nach (*zeitl*) **après** a'prä; **~ Paris à Paris** a pa'ri
Nachahmung l'imitation *f* limita'ßjõ
Nachbar le voisin lö woa'sẽ; **~in la voisine** la woa'sin
nachdenken réfléchir refle'schir
nachher après a'prä
nachlassen diminuer diminü'e
Nachmittag l'après-midi *m* laprämi'di
Nachricht (*Botschaft*) **le message** lö me'ßasch; **eine ~ hinterlassen laisser un message** lä'ße ẽ me'ßasch; **~en** (*TV*) **les informations** *f pl* les‿ẽfɔrma'ßjõ
Nachsaison la basse saison la baß ßä'sõ
nachsehen regarder rögar'de
nächster prochain prɔ'schẽ; (*Reihenfolge*) **suivant** ßüi'wã
Nacht la nuit la nüi
Nachteil l'inconvénient *m* lẽkõwe'njã
nackt nu nü
Nadel l'aiguille *f* lä'güij
Nagel le clou lö klu; (*Fingernagel*) **l'ongle** *m* 'lõglö
nah(e) proche prɔsch
in der Nähe (von) près (de) prä (dö)
Name le nom lö nõ
nass mouillé mu'je
Natur la nature la na'tür
natürlich naturel natü'räl; *adv* **bien sûr** bjẽ ßür
neben (j-m) à côté (de quelqu'un) a ko'te (dö käl'kẽ)
negativ négatif nega'tif
nehmen prendre 'prãdrö

nein non nõ
nervös nerveux när'wö
nett gentil schã'ti
Netz le filet lö fi'lä
neu nouveau nu'wo
neugierig curieux kü'rjö
Neuigkeit la nouveauté la nuwo'te
neutral neutre 'nötrö
nicht ne ... pas nö pa
niedrig bas ba
niesen éternuer etärnü'e
Niveau le niveau lö ni'wo
noch encore ã'kɔr; **~ nicht ne ... pas encore** nö pas‿ã'kɔr
Norden le Nord lö nɔr
normal normal nɔr'mal
normalerweise normalement nɔrmal'mã
Notausgang la sortie de secours la ßɔr'ti dö ßö'kur
notieren noter nɔ'te
nötig nécessaire neße'ßär
Notwendigkeit la nécessité la neßeßi'te
Nummer le numéro lö nüme'ro
nun maintenant mẽt'nã
nur seulement ßöl'mã
nützlich utile ü'til
nutzlos inutile inü'til

O

ob si ßi
oben en haut ã o
obwohl bien que bjẽ kö
oder ou (bien) u (bjẽ)
offen ouvert u'wär
offiziell officiel ɔfi'ßjäl
öffnen ouvrir u'wrir
Öffnungszeiten les heures *f pl* **d'ouverture** les‿ör duwär'tür
oft souvent ßu'wã
ohne sans ßã
ökologisch écologique ekɔlɔ'schik
Onkel l'oncle *m* 'lõklö
Ordnung l'ordre *m* 'lɔrdrö
Osten l'Est *m* läßt
oval ovale ɔ'wal
Ozean l'océan *m* lɔße'ã
Ozon l'ozone *m* lo'son

P

Paar la paire la pär; (*Menschen*) **le couple** lö 'kuplö
paar: ein paar quelques 'kälkö
packen (*Koffer*) **faire sa valise** fär ßa wa'lis
Packung le paquet lö pa'kä
Papier le papier lö pa'pje
Park le parc lö park
Partei le parti lö par'ti
passen aller a'le
passieren passer pa'ße
Pauschale le forfait lö fɔr'fä
Pause la pause la pos; (*Theater usw*) **l'entracte** *m* lã'traktö
Pech la malchance la mal'schãß
perfekt parfait par'fä
Person la personne la pär'ßɔn
Personalien l'identité *f* lidãti'te
persönlich personnel pärßɔ'näl
pfeifen siffler ßi'fle
Pflanze la plante la plãt
pflegen entretenir ãtrötö'nir; (*Menschen*) **soigner** ßoa'nje
Pflicht le devoir lö dö'woar
pflücken cueillir kö'jir
Picknick le pique-nique lö pik'nik
Picknickkorb le panier-repas lö pa'nje rö'pa

Plakat l'affiche *f* la'fisch
Plan le plan lö plã
Platz la place la plaß
plötzlich tout à coup tut‿a‿'ku
Politik la politique la pɔli'tik
Portemonnaie le porte-monnaie lö pɔrtmɔ'nä
positiv positif posi'tif
praktisch pratique pra'tik
Praxis la pratique la pra'tik; (*Arzt*) **le cabinet** lö kabi'nä
Preis le prix lö pri
Preiserhöhung l'augmentation *f* **de prix** lɔgmãta'ßjõ dö pri
Preisermäßigung la réduction de prix la redük'ßjõ dö pri
preisgünstig avantageux awãta'schö
Presse la presse la präß
prima magnifique manji'fik
Prinzip le principe lö prẽ'ßip; **aus ~ par principe** par prẽ'ßip
privat privé pri'we
Privatbesitz la propriété privée la prɔprije'te pri'we
Probe l'essai *m* le'ßä
probieren essayer eßä'je; (*schmecken*) **goûter** gu'te
Produkt le produit lö prɔ'düi
Programm le programme lö prɔ'gram
protestieren protester prɔtäß'te
Proviant les provisions *f pl* le prɔwi'sjõ
provisorisch provisoire prɔwi'soar
provozieren provoquer prɔwɔ'ke
Prozent le pour cent lö pur'ßã
prüfen examiner ägsami'ne; (*überprüfen*) **vérifier** weri'fje
Prüfung l'examen *m* lägsa'mẽ
Publikum le public lö pü'blik
Pulver la poudre la 'pudrö
Pumpe la pompe la põp
Punkt le point lö poẽ
pünktlich ponctuel põktü'äl; *adv* **à l'heure** a lör
Pünktlichkeit la ponctualité la põktüali'te
putzen nettoyer netoa'je
Putzfrau la femme de ménage la fam dö me'nasch

Q

Qualität la qualité la kali'te
Quelle la source la 'ßurßö
quer durch à travers a tra'wär
Quittung le reçu lö rö'ßü

R

Rabatt le rabais lö ra'bä
Rad la roue la ru; (*Fahrrad*) **la bicyclette** la bißi'klät
Radio la radio la ra'djo
Rand le bord lö bɔr
Rasen la pelouse la pö'lus
Rat le conseil lö kõ'ßäj
raten conseiller kõßä'je
Rauch la fumée la fü'me
rauchen fumer fü'me
Raucher le fumeur lö fü'mör
Raum l'espace *m* läß'paß; (*Zimmer*) **la pièce** la pjäß
Rauschgift la drogue la drɔg
reagieren réagir rea'schir
Reaktion la réaction la reak'ßjõ
rechnen calculer kalkü'le; **~ mit s'attendre à** ßa'tãdr‿a
Rechnung la facture la fak'tür; (*Restaurant*) **l'addition** *f* ladi'ßjõ; (*Hotel*) **la note** la nɔt

Recht le droit lö droa; **recht haben avoir raison** a'woar rä'sõ
rechtfertigen justifier schüßti'fje
rechts à droite a droat
rechtzeitig à temps a tã
Rede le discours lö diß'kur
reden parler par'le
Regal le rayon lö rä'jõ
Regel la règle la 'räglö
regelmäßig régulier regü'lje
Regierung le gouvernement lö guwärnö'mã
Region la région la re'schjõ
reich riche risch
reichen (*ausreichen*) **suffire** ßü'fir; **das reicht cela suffit** ßö'la ßü'fi; (*geben*) **passer** pa'ße
reif mûr mür
reinigen nettoyer netoa'je
Reise le voyage lö woa'jasch
Reiseführer le guide (de voyage) lö gid (dö woa'jasch)
Reiseroute l'itinéraire *m* litine'rär
Reiseziel la destination la däßtina'ßjõ
Reklamation la réclamation la reklama'ßjõ
reklamieren faire une réclamation fär ün reklama'ßjõ
Rente la retraite la rö'trät
reparieren réparer repa're
reservieren réserver resär'we
Reservierung la réservation la resärwa'ßjõ
Rest le reste lö 'räßtö
retten sauver ßo'we
richtig juste 'schüßtö
Richtung la direction la diräk'ßjõ
riechen sentir ßã'tir
Risiko le risque lö rißk
riskant risqué riß'ke
Rohr le tuyau lö tüi'jo
rollen rouler ru'le
rückerstatten rembourser rãbur'ße
rücksichtslos sans gêne ßã schän
rücksichtsvoll attentionné atãßjɔ'ne
rückwärts en arrière ãn‿a'rjär
rufen appeler ap'le
Ruhe la tranquillité la trãkili'te; **~! Silence!** ßi'lãß!
ruhig tranquille trã'kil
rund rond rõ
rutschen glisser gli'ße

S

Saal la salle la ßal
Sache la chose la schos
Sachverständige(r) l'expert *m* läkß'pär
sagen dire dir
sammeln collectionner kɔläkßjo'ne
Sammlung la collection la kɔläk'ßjõ
Sand le sable lö 'ßablö
sanft doux du,**douce** *f* duß
satt: ich bin ~ je n'ai plus faim schö nä plü fẽ
Satz la phrase la fras
sauber propre 'prɔprö
Sauberkeit la propreté la prɔprö'te
säubern nettoyer netoa'je
Sauna le sauna lö ßo'na
Schachtel la boîte la boat
Schade! Dommage! dɔ'masch!
Schaden le dommage lö dɔ'masch
schaden nuire nüir
Schadenersatz le dédommagement lö dedɔmasch'mã

schädlich nocif nɔ'ßif
Schalter (*Bank usw*) **le guichet** lö gi'schä; (*elektr*) **l'interrupteur** lẽterüp'tör
scharf (*Klinge*) **coupant** ku'pã; (*Speisen*) **épicé** epi'ße
Schatten l'ombre *f* 'lõbrö
schätzen estimer äßti'me
schauen regarder rögar'de
Schaufel la pelle la päl
Schaufenster la vitrine la wi'trin
Schauspieler l'acteur *m* lak'tör; **~in l'actrice** *f* lak'triß
Scheck le chèque lö schäk
Scheibe la tranche la trãsch; (*Fenster*) **la vitre** la 'witrö
Schein le billet lö bi'jä
scheinen sembler ßã'ble; (*Sonne*) **briller** bri'je
scheitern échouer eschu'e
schenken offrir ɔ'frir
Schere les ciseaux *m pl* le ßi'so
scheußlich affreux a'frö
schick chic schik
schicken envoyer ãwoa'je
Schicksal le destin lö däß'tẽ
schieben pousser pu'ße
Schiff le bateau lö ba'to
Schild le panneau lö pa'no
Schimmel (*Lebensmittel*) **la moisissure** la moasi'ßür
schimpfen gronder grõ'de
Schirm le parapluie lö para'plüi
Schlaf le sommeil lö ßɔ'mäj
schlafen dormir dɔr'mir
Schlag le coup lö ku
schlagen frapper fra'pe
Schlamm la boue la bu
Schlange le serpent lö ßär'pã; **~ stehen faire la queue** fär la kö
schlank mince mẽß

schlecht mauvais mo'wä; *adv* **mal** mal; **mir ist ~ j'ai mal au cœur** schä mal‿o kör
schließen fermer fär'me
schlimm grave graw
Schloss le château lö scha'to; (*Tür*) **la serrure** la ße'rür
Schlucht les gorges *f pl* le 'gɔrschö
Schluss la fin la fẽ
Schlüssel la clé la kle
schmal étroit e'troa
schmecken (gut) être bon 'äträ bõ
Schmerz la douleur la du'lör
schmerzhaft douloureux dulu'rö
schmutzig sale ßal; **~ machen salir** ßa'lir
Schnee la neige la näsch
schneiden couper ku'pe
schnell rapide ra'pid; *adv* **vite** wit
Schnur la ficelle la fi'ßäl; (*elektr*) **le fil électrique** lö fil‿eläk'trik
schon déjà de'scha
schön beau bo, *f:* **belle** bäl
Schönheit la beauté la bo'te
schräg oblique ɔ'blik; (*negativ*) **de travers** dö tra'wär
Schrank le placard lö pla'kar; (*Kleiderschrank*) **l'armoire** *f* lar'moar
Schranke la barrière la ba'rjär
schrecklich épouvantable epuwã'tablö
Schrei le cri lö kri
schreiben écrire e'krir
schreien crier kri'je
Schritt le pas lö pa
Schublade le tiroir lö ti'roar
schüchtern timide ti'mid
Schuld la faute la fot; **es ist meine ~ c'est de ma faute** ßä dö ma fot

schuldig coupable ku'pablö
Schule l'école *f* le'kɔl; (*Oberschule*) **le lycée** lö li'ße
schützen protéger prɔte'sche
schwach faible 'fäblö
schwanger enceinte ã'ßẽt
Schwangerschaft la grossesse la gro'ßäß
schweigen se taire ßö tär
schwer (*Gewicht*) **lourd** lur; (*schwierig*) **difficile** difi'ßil
Schwester la sœur la ßör
schwierig difficile difi'ßil
Schwierigkeit la difficulté la difiküľ'te
schwimmen nager na'sche
schwitzen transpirer trãßpi're
See (*Binnengewässer*) **le lac** lö lak; (*Meer*) **la mer** la mär
sehen voir woar
Sehenswürdigkeiten les curiosités *f pl* le kürjosi'te
sehr très trä
Seil la corde la kɔrd
sein être 'ätrö
seit depuis dö'püi
Seite le côté lö ko'te; (*Buch*) **la page** la pasch
selbst même mäm
selbstständig indépendant ẽdepã'dã
selten rare rar
Sendung l'émission *f* lemi'ßjõ
Senior la personne âgée la pär'ßɔn a'sche
sensibel sensible ßã'ßiblö
Sessel le fauteuil lö fo'töj
setzen mettre 'mätrö; **sich ~ s'asseoir** ßa'ßoar
Sex le sexe lö ßäkß
sexuell sexuel ßäkßü'äl
sicher sûr ßür
Sicherheit la sécurité la ßeküri'te
sich erinnern se souvenir ßö ßuw'nir
Sicht la vue la wü
sichtbar visible wi'siblö
Sie vous wu
sie *sg* **elle** äl, *pl* **ils** *m* il, **elles** *f* äl
Sieg la victoire la wik'toar
singen chanter schã'te
Sinn le sens lö ßãß
sinnlos absurde a'pßürd
sinnvoll raisonnable räsɔ'nablö
Sitte la coutume la ku'tüm
Sitz le siège lö ßjäsch
sitzen être assis ätr a'ßi
so de cette façon dö ßät fa'ßõ
sofort tout de suite tut‿'ßüit
sogar même mäm
Sohn le fils lö fiß
solange tant que tã kö
sollen devoir dö'woar
Sommer l'été *m* le'te
Sommerzeit l'heure *f* **d'été** lör de'te
sondern mais mä
Sonne le soleil lö ßɔ'läj
Sonnenaufgang le lever du soleil lö lö'we dü ßɔ'läj
Sonnenbrille les lunettes *f pl* **de soleil** le lü'nät dö ßɔ'läj
Sonnenuntergang le coucher du soleil lö ku'sche dü ßɔ'läj
sonst d'habitude dabi'tüd; (*außerdem*) **à part ça** a par ßa; (*andernfalls*) **autrement** otrö'mã
Sorge le souci lö ßu'ßi; **sich ~n machen (um) se faire du souci (pour)** ßö fär dü ßu'ßi (pur)
sorgen (für) s'occuper (de) ßɔkü'pe (dö)
sorgfältig soigneux ßoa'njö
Sorte la sorte la ßɔrt
sozial social ßɔ'ßjal
sparen économiser ekɔnɔmi'se

Spaß le plaisir lö ple'sir; **~ haben s'amuser** ßamü'se; (*Scherz*) **la plaisanterie** la pläsät'ri
spät tard tar
spätestens au plus tard o plü tar
spazieren gehen se promener ßö prɔm'ne
Spaziergang la promenade la prɔm'nad
sperren barrer ba're
Spezialität la spécialité la ßpeßjali'te
speziell spécial ßpe'ßjal
Spiegel le miroir lö mi'roar
spielen jouer schu'e; **Schach ~ jouer aux échecs** schu'e os_e'schäk
Spielplatz le terrain de jeux lö te'rẽ dö schö
Spielzeug le jouet lö schu'ä
spitz pointu poẽ'tü
Spitze la pointe la poẽt; (*Gewebe*) **la dentelle** la dã'täl
Sport le sport lö ßpɔr
sportlich sportif ßpɔr'tif
Sprache la langue la lãg
sprechen parler par'le
springen sauter ßo'te
spüren sentir ßã'tir
Staat l'Etat *m* le'ta
Staatsangehörigkeit la nationalité la naßjɔnali'te
stabil stable 'ßtablö
Stadt la ville la wil
Stadtteil le quartier lö kar'tje
ständig permanent pärma'nã
stark fort fɔr
Stärke la force la fɔrß
statt au lieu de o ljö dö; **~dessen à la place de cela** a la plaß dö ßö'la
stattfinden avoir lieu a'woar ljö
Staub la poussière la pu'ßjär
staubig poussiéreux pußje'rö
stechen piquer pi'ke
Steckdose la prise de courant la pris dö ku'rã
stehen (*sich befinden*) **se trouver** ßö tru'we; **~ bleiben s'arrêter** ßarä'te
stehlen voler wɔ'le
steigen monter mõ'te
Steigung la montée la mõ'te
steil raide räd
Stein la pierre la pjär
Stelle l'endroit *m* lã'droa
stellen mettre 'mätrö
sterben mourir mu'rir
Stern l'étoile *f* le'toal
Stich la piqûre la pi'kür
Stil le style lö ßtil
still calme kalm
Stimme la voix la woa
stimmen: es stimmt c'est exact ßt_egsa(kt)
Stimmung l'atmosphère *f* latmɔß'fär
Stock le bâton lö ba'tõ; (*Gehstock*) **la canne** la kan
Stockwerk l'étage *m* le'tasch
Stoff l'étoffe *f* le'tɔf
stolpern trébucher trebü'sche
Stolz la fierté la fjär'te
stolz (auf) fier (de) fjär (dö)
stören déranger derã'sche
Störung le dérangement lö derãsch'mã
Strand la plage la plasch
Straße (*in einer Ortschaft*) **la rue** la rü; (*außerhalb*) **la route** la rut
Strecke le trajet lö tra'schä
streicheln caresser karä'ße
Streik la grève la gräw
Streit la dispute la diß'püt
streiten se disputer ßö dißpü'te
streng sévère ße'wär

Stress le stress lö ßträß
Strom l'électricité *f* leläktrißi'te; (*Fluss*) **le fleuve** lö flöw
Strömung le courant lö ku'rã
Stück le morceau lö mɔr'ßo; (*Geld, Theater*) **la pièce** la pjäß
Student l'étudiant *m* letü'djã
Studentenausweis la carte d'étudiant la 'kartö detü'djã
Studentin l'étudiante *f* letü'djãt
Stuhl la chaise la schäs
Stunde l'heure *f* lör
Sturm la tempête la tã'pät
stürzen tomber tõ'be
suchen chercher schär'sche
Süden le Sud lö ßüd
Summe la somme la ßɔm
süß sucré ßü'kre; (*niedlich*) **mignon** mi'njõ
sympathisch sympathique ßẽpa'tik

T

Tag le jour lö schur; (*als Dauer*) **la journée** la schur'ne
Tal la vallée la wa'le
Tante la tante la tãt
Tanz la danse la dãß
tanzen danser dã'ße
Tasche le sac lö ßak; (*Hosentasche usw*) **la poche** la pɔsch
Taschenlampe la lampe de poche la lãp dö pɔsch
Tasse la tasse la taß
Taufe le baptême lö ba'täm
taufen baptiser bati'se
tauschen échanger eschã'sche
sich täuschen se tromper ßö trõ'pe
Technik la technique la täk'nik
Teich l'étang *m* le'tã; (*im Garten*) **le bassin** lö ba'ßẽ
Teil la partie la par'ti
teilen partager parta'sche
teilnehmen (an) participer (à) partißi'pe (a)
telefonieren téléphoner telefɔ'ne
Teller l'assiette *f* la'ßjät
Teppich le tapis lö ta'pi; (*Teppichboden*) **la moquette** la mɔ'kät
Termin le rendez-vous lö rãde'wu; (*Frist*) **le délai** lö de'lä
Terrasse la terrasse la tä'raß
teuer cher schär
Theater le théâtre lö te'atrö
Thema le sujet lö ßü'schä
Thermometer le thermomètre lö tärmɔ'mätrö
Ticket le billet lö bi'jä
tief profond prɔ'fõ
Tiefe la profondeur la prɔfõ'dör
Tier l'animal *m* lani'mal
Tisch la table la 'tablö
Tochter la fille la fij
Toilette les toilettes *f pl* le toa'lät
toll formidable fɔrmi'dablö
Ton (*Klang*) **le son** lö ßõ; (*Redeweise*) **le ton** lö tõ
Topf la casserole la kaß'rɔl
Tor la porte la pɔrt; (*Sport*) **le but** lö bü(t)
tot mort mɔr
Tour le tour lö tur
Tourist le touriste lö tu'rißt, **la touriste** la tu'rißt
Tradition la tradition la tradi'ßjõ
tragen porter pɔr'te
Traum le rêve lö räw
träumen rêver rä'we
traurig triste 'trißtö
treffen rencontrer rãkõ'tre

trennen séparer ßepa're
Treppe l'escalier *m* läßka'lje
treu fidèle fi'däl
Treue la fidélité la fideli'te
trinken boire boar
Trinkwasser l'eau *f* **potable** lo pɔ'tablö
trocken sec ßäk, *f:* **sèche** ßäsch
trocknen sécher ße'sche
Tropfen la goutte la gut
tropfen goutter gu'te
trotz malgré mal'gre
trotzdem malgré tout mal'gre tu
Tube le tube lö tüb
Tür la porte la pɔrt
Turm la tour la tur
Tüte le sac lö ßak; (*kleine*) **le sachet** lö ßa'schä
Typ le type lö tip
typisch typique ti'pik

U

übel mauvais mo'wä; **mir ist ~ j'ai mal au cœur** schä mal‿o kör
üben s'exercer ßägsär'ße; (*Sport*) **s'entraîner** ßãträ'ne
über au-dessus de od'ßü dö
überflüssig superflu ßüpär'flü
überlegen réfléchir refle'schir
übernachten passer la nuit pa'ße la nüi
überqueren traverser trawär'ße
überraschen surprendre ßür'prãdrö
Überraschung la surprise la ßür'pris
überreden persuader pärßüa'de
Überschwemmung l'inondation *f* linõda'ßjõ
übersetzen traduire tra'düir
Übersetzung la traduction la tradük'ßjõ
übertragen transmettre trãß'mätrö
übertreffen surpasser ßürpa'ße
übertreiben exagérer egsasche're
überwinden surmonter ßürmõ'te
überzeugen (von) convaincre (de) kõ'wẽkrö (dö)
überzeugt (von) convaincu (de) kõwẽ'kü (dö)
übrigens d'ailleurs da'jör
Übung l'exercice *m* lägsär'ßiß
Ufer (*Fluss*) **la rive** la riw; (*Meer*) **le rivage** lö ri'wasch
Uhr l'heure *f* lör; (*Armbanduhr*) **la montre** la 'mõtrö; (*Wanduhr*) **la pendule** la pã'dül; (*Turmuhr*) **l'horloge** *f* lɔr'lɔsch
um (*örtl*) **autour (de)** o'tur (dö); (*zeitl*) **à** a
Umgebung les environs *m pl* les‿ãwi'rõ
umgekehrt inverse ẽ'wärß
umkehren faire demi-tour fär dömi'tur
umsonst (*gratis*) **gratuit** gra'tüi; (*vergeblich*) **en vain** ã wẽ
Umstände les circonstances *f pl* le ßirkõß'tãß
Umtausch l'échange *m* le'schãsch
umtauschen échanger eschã'sche
Umweg le détour lö de'tur
Umwelt l'environnement *m* lãwirɔn'mã
Umweltschutz la protection de l'environnement la prɔtäk'ßjõ dö lãwirɔn'mã
umziehen déménager demena'sche; **sich ~ se changer** ßö schã'sche

unabhängig indépendant ẽdepã'dã
Unabhängigkeit l'indépendance *f* lẽdepã'dãß
unangenehm désagréable desagre'ablö
unbedingt absolu apßɔ'lü
unbekannt inconnu ẽkɔ'nü
unbequem inconfortable ẽkõfɔr'tablö
und et e; **~ so weiter et cetera** ätßete'ra
unerträglich insupportable ẽßüpɔr'tablö
unerwartet inattendu inatã'dü
unfähig incapable ẽka'pablö
Unfall l'accident *m* lakßi'dã
unfreundlich peu aimable pö ä'mablö
ungefähr environ ãwi'rõ
ungemütlich inconfortable ẽkõfɔr'tablö
ungenau imprécis ẽpre'ßi
ungenügend insuffisant ẽßüfi'sã
ungerecht injuste ẽ'schüßt
ungern à contre-cœur a kõtrö'kör
ungewöhnlich inhabituel inabitü'äl
unglaublich incroyable ẽkroa'jablö
Unglück l'accident *m* lakßi'dã
unglücklich malheureux malö'rö
unglücklicherweise malheureusement malörös'mã
ungültig pas valable pa wa'lablö
unhöflich impoli ẽpɔ'li
Universität l'université *f* lüniwärßi'te
Unkosten les frais *m pl* le frä
unmöbliert non meublé nõ mö'ble
unmöglich impossible ẽpɔ'ßiblö
unnötig inutile inü'til
unordentlich désordonné desɔrdɔ'ne
Unordnung le désordre lö de'sɔrdrö
unpersönlich impersonnel ẽpärßɔ'näl
unpraktisch peu pratique pö pra'tik
unrecht haben avoir tort a'woar tɔr
unruhig agité aschi'te; (*besorgt*) **inquiet** ẽ'kjä
unschuldig innocent inɔ'ßã
unsicher peu sûr pö ßür; (*ungewiss*) **incertain** ẽßär'tẽ
unten en bas ã ba
unter sous ßu; **~ anderem entre autres** ãtr‿'otrö
unterbrechen interrompre ẽte'rõprö
sich unterhalten s'entretenir ßãtrötö'nir; (*sich amüsieren*) **s'amuser** ßamü'se
Unterlagen les documents *m pl* le dokü'mã
unternehmen entreprendre ãtrö'prãdrö
Unterricht l'enseignement *m* lãßänjö'mã
unterscheiden distinguer dißtẽ'ge
Unterschied la différence la dife'rãß
unterschiedlich différent dife'rã
unterschreiben signer ßi'nje
Unterschrift la signature la ßinja'tür
unterstützen soutenir ßut'nir
untersuchen examiner ägsami'ne
unterwegs en route ã rut
ununterbrochen sans arrêt ßãs‿a'rä

unverantwortlich irresponsable iräßpõ'ßablö
unvermeidlich inévitable inewi'tablö
unverständlich incompréhensible ẽkõpreã'ßiblö
unvollständig incomplet ẽkõ'plä
unvorsichtig imprudent ẽprü'dã
unwahrscheinlich invraisemblable ẽwräßã'blablö
unwichtig sans importance ßãs ẽpɔr'tãß
unzufrieden mécontent mekõ'tã
Urlaub les vacances *f pl* le wa'kãß
Ursache la cause la cos
Urteil le jugement lö schüsch'mã

V

Vater le père lö pär
sich verabreden prendre rendez-vous 'prãdrö rãde'wu
Verabredung le rendez-vous lö rãde'wu
sich verabschieden (von) prendre congé (de) 'prãdrö kõ'sche (dö)
verändern changer schã'sche
Veranstaltung la manifestation la manifäßta'ßjõ
verantwortlich responsable räßpõ'ßablö
verbessern améliorer ameljo're; (*Fehler*) **corriger** kɔri'sche
verbieten interdire ẽtär'dir
verboten interdit ẽtär'di
verbrennen brûler brü'le
verbringen passer pa'ße
Verdacht le soupçon lö ßup'ßõ
verderben (*Ware*) **abîmer** abi'me
verdienen mériter meri'te; (*Lohn*) **gagner** ga'nje
Verein l'association *f* laßɔßja'ßjõ
vereinbaren (etw) convenir (de) kõwö'nir (dö)
sich verfahren se tromper de route ßö trõ'pe dö rut
Verfallsdatum la date limite de consommation la dat li'mit dö kõßɔma'ßjõ
verfolgen poursuivre pur'ßüiwrö
Vergangenheit le passé lö pa'ße
vergeblich inutile inü'til; *adv* **en vain** ã wẽ
vergehen passer pa'ße
vergessen oublier ubli'je
sich vergewissern s'assurer ßaßü're
vergleichen comparer kõpa're
Vergnügen le plaisir lö ple'sir
Verhältnis la relation la röla'ßjõ
verhandeln négocier negɔ'ßje
verheiratet marié ma'rje
verhindern empêcher ãpä'sche
verkaufen vendre 'wãdrö
Verkäufer le vendeur lö wã'dör; **~in la vendeuse** la wã'dös
Verkehr la circulation la ßirküla'ßjõ
verkehrt faux fo, *f:* **fausse** foß; **die ~e Richtung la mauvaise direction** la mo'wäs diräk'ßjõ
verlangen réclamer rekla'me
verlängern prolonger prɔlõ'sche
Verlängerung la prolongation la prɔlõga'ßjõ
verlassen quitter ki'te; **sich ~ auf compter sur** kõ'te ßür
sich verlaufen se tromper de chemin ßö trõ'pe dö schö'mẽ
sich verletzen se blesser ßö ble'ße

sich verlieben (in) tomber amoureux (de) tõ'be amu'rö (dö)
verlieren perdre 'pärdrö
verloren perdu pär'dü
vermeiden éviter ewi'te
vermieten louer lu'e
vermuten supposer ßüpo'se
Vernunft la raison la rä'sõ
vernünftig raisonnable räsɔ'nablö
Verpackung l'emballage *m* lãba'lasch
Verpflegung la nourriture la nuri'tür
verpflichten: sich ~ (zu) s'engager (à) ßãga'sche (a); **verpflichtet sein (zu) être tenu (de)** 'ätrö tö'nü (dö)
verreisen partir (en voyage) par'tir (ã woa'jasch)
verrückt fou fu, *f:* **folle** fɔl
verschieben (*zeitl*) **remettre à plus tard** rö'mätr‿a plü tar
verschieden différent dife'rã
sich verschlechtern se détériorer ßö deterjɔ're
verschwinden disparaître dißpa'rätrö
Versehen: aus ~ par erreur par ä'rör
versichern assurer aßü're
Versicherung l'assurance *f* laßü'rãß
sich verspäten être en retard ätr ã rö'tar
Verspätung le retard lö rö'tar
Versprechen la promesse la prɔ'mäß
verstehen promettre prɔ'mätrö
verständlich compréhensible kõpreã'ßiblö
verstecken cacher ka'sche
verstehen comprendre kõ'prãdrö

verstopft bouché bu'sche
Versuch l'essai *m* le'ßä
versuchen essayer eßä'je
verteidigen défendre de'fãdrö
verteilen répartir repar'tir
Vertrag le contrat lö kõ'tra
Vertrauen la confiance la kõ'fjãß
vertrauen (auf) avoir confiance (dans) a'woar kõ'fjãß (dã)
verunglücken avoir un accident a'woar ẽn‿akßi'dã
verwandt parent pa'rã
verwechseln confondre kõ'fõdrö
verwenden utiliser ütili'se
verwitwet veuf wöf, *f:* **veuve** wöw
verwöhnen gâter ga'te
Verzeichnis la liste la lißt
verzeihen pardonner pardɔ'ne
Verzeihung! Pardon! par'dõ!
verzweifeln (an) désespérer (de) desäßpe're (dö)
Verzweiflung le désespoir lö desäß'poar
viel beaucoup (de) bo'ku (dö)
vielleicht peut-être pö'tätrö
viereckig rectangulaire räktãgü'lär
Viertel le quart lö kar; (*Stadtviertel*) **le quartier** lö kar'tje
voll plein plẽ; (*ganz*) **entier** ã'tje
vollkommen parfait par'fä
Vollmacht la procuration la prɔküra'ßjõ
vollständig complet kõ'plä
von de dö
vor (*örtl*) **devant** dö'wã; (*zeitl*) **avant** a'wã; **~ einem Monat il y a un mois** il‿ja ẽ moa; **~ Kurzem récemment** reßa'mã; **~ allem avant tout** a'wã tu

Voraus: im ~ d'avance da'wãß
voraussichtlich probablement prɔbablö'mã
vorbei passé pa'ße
vorbeigehen passer (devant) pa'ße (dö'wã)
vorbereiten préparer prepa're
Vorfahrt la priorité la prijɔri'te
Vorhaben le projet lö prɔ'schä
vorhanden *(verfügbar)* **disponible** dißpɔ'niblö
Vorhang le rideau lö ri'do
vorher avant a'wã
vorheriger dernier där'nje
vorkommen arriver ari'we
vorläufig provisoire prɔwi'soar
Vormittag le matin lö ma'tẽ; *(Dauer)* **la matinée** la mati'ne
vorn devant dö'wã
Vorname le prénom lö pre'nõ
vornehm distingué dißtẽ'ge
Vorort la banlieue la bã'ljö
vorschlagen proposer prɔpo'se
Vorschrift le règlement lö räglö'mã
Vorsicht! Attention! atã'ßjõ!
vorsichtig prudent prü'dã
vorstellen présenter presã'te; **sich etw ~ s'imaginer** ßimaschi'ne
Vorstellung la présentation la presãta'ßjõ; *(Theater)* **la représentation** la röpresãta'ßjõ; *(Kino)* **la séance** la ße'ãß; *(Gedanke)* **l'idée** *f* li'de
Vorteil l'avantage *m* lawã'tasch
vorwärts en avant ãn‿a'wa

W

Waage la balance la ba'lãß
wach réveillé rewä'je
wachsen grandir grã'dir; *(Pflanzen)* **pousser** pu'ße
wackelig branlant brã'lã
wagen oser o'se
Wahl le choix lö schoa; *(Politik)* **les élections** *f pl* les‿elek'ßjõ
wählen choisir schoa'sir; *(Politik)* **voter** wɔ'te; *(Telefon)* **composer le numéro** kõpo'se lö nüme'ro
wahr vrai wrä
während pendant pã'dã; *conj* **pendant que** pã'dã kö
Wahrheit la vérité la weri'te
wahrscheinlich probable prɔ'bablö
Währung la monnaie la mɔ'nä
Wald la forêt la fɔ'rä
Waldbrand l'incendie *m* **de forêt** lẽßã'di dö fɔ'rä
Wand le mur lö mür
wann quand kã
warm chaud scho
Wärme la chaleur la scha'lör
wärmen chauffer scho'fe
Warnung l'avertissement *m* lawärtiß'mã
warten attendre a'tãdrö
warum pourquoi pur'koa
was que kö
Wäsche le linge lö lẽsch
waschen laver la'we
Wasser l'eau *f* lo
Wasserhahn le robinet lö rɔbi'nä
wechseln changer schã'sche
wecken réveiller rewä'je
Wecker le réveil lö re'wäj
weder ... noch ni ... ni ni ni
Weg le chemin lö schö'mẽ, **parti** par'ti
wegen à cause de a kos dö
wegfahren partir par'tir
weggehen partir par'tir
wegnehmen prendre 'prãdrö
wegschicken renvoyer rãwoa'je
wegwerfen jeter schö'te
wehtun faire mal fär mal

weiblich féminin femi'nẽ
weich (*Fleisch*) **tendre** 'tãdrö; (*Stoff*) **moelleux** moa'lö; (*negativ, z.B. Matratze*) **mou** mu, *f*: **molle** mɔl
sich weigern (zu) refuser (de) röfü'se (dö)
weil parce que 'parßö kö
weinen pleurer plö're
weit (*entfernt*) **loin** loẽ; (*breit*) **large** 'larschö
weiter: und so ~ ainsi de suite ẽ'ßi dö ßüit
Welle (*Meer*) **la vague** la wag; (*Physik*) **l'onde** *f* lõd
Welt le monde lö mõd
wenden tourner tur'ne; **sich an j-n ~ s'adresser à** ßadrä'ße a
wenig peu de pö dö
wenigstens du moins dü moẽ
wenn (*zeitl*) **quand** kã; (*Bedingung*) **si** ßi
werden devenir döwö'nir
Werk l'œuvre *f* 'löwrö
Werkstatt l'atelier *m* latö'lje; (*Auto*) **le garage** lö ga'rasch
werktags les jours *m pl* **ouvrables** le schur u'wrablö
Werkzeug l'outil *m* lu'ti
Wert la valeur la wa'lör
wertlos sans valeur ßã wa'lör
wertvoll précieux pre'ßjö
Westen l'Ouest lu'äßt
Wette le pari lö pa'ri
wetten parier pa'rje
wichtig important ẽpɔr'tã
Wichtigkeit l'importance *f* lẽpɔr'tãß
wickeln (*Baby*) **langer** lã'sche
widersprechen contredire kõtrö'dir
Widerspruch la contradiction la kõtradik'ßjõ
wieder de nouveau dö nu'wo
wiederholen répéter repe'te
wiederkommen revenir röw'nir
wiedersehen revoir rö'woar
wiegen peser pö'se
Wiese le pré lö pre; (*Rasen*) **la pelouse** la pö'lus
wie viel combien kõ'bjẽ
wir nous nu
wirklich réel re'äl; *adv* **vraiment** wrä'mã
Wirklichkeit la réalité la reali'te
wirksam efficace efi'kaß
Wirkung l'effet *m* le'fä
Wirt (*Restaurant*) **le patron** lö pa'trõ; **~in la patronne** la pa'trɔn
wissen savoir ßa'wuar
Witwe la veuve la wöw; **~r le veuf** lö wöf
Witz la plaisanterie la pläsãt'ri
witzig drôle drol
wo où u
woanders ailleurs a'jör
Woche la semaine la ßö'män
woher d'où du
wohin où u
wohl (*sicher*) **sans doute** ßã dut; **sich ~fühlen se sentir bien** ßö ßã'tir bjẽ
wohnen habiter abi'te
Wohnsitz le domicile lö dɔmi'ßil
Wohnung l'appartement *m* lapartö'mã
Wohnzimmer la salle de séjour la ßal dö ße'schur
wollen vouloir wu'loar
Wort le mot lö mo
Wörterbuch le dictionnaire lö dikßjɔ'när
sich wundern s'étonner ßetɔ'ne
Wunsch le désir lö de'sir
wünschen désirer desi're
Wut la colère la kɔ'lär
wütend en colère ã kɔ'lär

Z

Zahl le nombre lö 'nõbrö
zahlen payer pä'je
zählen compter kõ'te
zahlreich nombreux nõ'brö
zart délicat deli'ka; (*weich*) **tendre** 'tãdrö
zärtlich affectueux afäk'tüö
Zeichen le signe lö ßinj
zeichnen dessiner deßi'ne
Zeichnung le dessin lö de'ßẽ
zeigen montrer mõ'tre
Zeit le temps lö tã; **~ haben avoir le temps** a'woar lö tã
Zeitung le journal lö schur'nal
zentral central ßã'tral
Zentrum le centre lö 'ßãtrö
zerbrechen casser ka'ße
zerbrechlich fragile fra'schil
zerreißen déchirer deschi're
Zertifikat le certificat lö ßärtifi'ka
Zettel le bout de papier lö bu dö pa'pje
Zeuge le témoin lö te'moẽ
Zeugnis (*Bescheinigung*) **le certificat** lö ßärtifi'ka; (*Schule*) **le bulletin scolaire** lö bül'tẽ ßkɔ'lär
ziehen tirer ti're
Ziel le but lö bü(t); (*Reise*) **la destination** la däßtina'ßjõ
ziemlich assez a'ße
Zimmer la pièce la pjäß; (*Hotel, Schlafzimmer*) **la chambre** la 'schãbrö
zittern trembler trã'ble
zögern (zu) hésiter (à) esi'te (a)
zu (*Richtung*) **à** a; (*geschlossen*) **fermé** fär'me; (*viel*) **trop** tro; **~ Fuß à pied** a pje
zu viel trop tro
zubereiten préparer prepa're
zuerst d'abord da'bɔr
Zufahrt l'accès *m* la'kßä
Zufall le hasard lö a'sar
zufällig fortuit fɔr'tüi; *adv* **par hasard** par a'sar
zufrieden satisfait ßatiß'fä
Zugang l'accès *m* la'kßä
zugeben avouer awu'e
zuhören écouter eku'te
Zukunft l'avenir *m* law'nir
zukünftig futur fü'tür
zulässig permis pär'mi
zuletzt en dernier lieu ã där'nje ljö
zumachen fermer fär'me
zunächst tout d'abord tu da'bɔr
zunehmen augmenter ɔgmã'te; (*dicker werden*) **grossir** gro'ßir
zurechtkommen se débrouiller ßö debru'je
zurück (sein) (être) de retour ('ätrö) dö rö'tur
zurückbringen (*Sachen*) **rapporter** rapɔr'te; (*Menschen*) **ramener** ram'ne
zurückerstatten rembourser rãbur'ße
zurückfahren retourner rötur'ne; (*zurücksetzen*) **faire marche arrière** fär marsch‿a'rjär
zurückgeben rendre 'rãdrö
zurückkommen revenir röw'nir
zurücknehmen reprendre rö'prãdrö
zurückrufen rappeler rap'le
zurückzahlen rembourser rãbur'ße
zusammen ensemble ã'ßãblö
zusammenarbeiten collaborer kɔlabɔ're
Zusammenstoß la collision la kɔli'sjõ
zusätzlich supplémentaire ßüplemã'tär; *adv* **en plus** ã plüß

zuschauen regarder rögar'de
Zuschauer le spectateur lö ßpäkta'tör
Zuschlag le supplément lö ßüple'mã
Zustand l'état *m* le'ta
zuständig compétent kõpe'tã; (*verantwortlich*) **responsable** räßpõ'ßablö
zustimmen consentir kõßã'tir

zu wenig trop peu tro pö
Zwang la contrainte la kõ'trẽt
Zweck le but lö bü(t)
Zweifel le doute lö dut
zweifelhaft douteux du'tö
zweifellos sans aucun doute ßãs‿o'kẽ dut
zweifeln (an) douter (de) du'te (dö)
zwischen entre 'ãtrö; (*unter mehreren*) **parmi** par'mi

Französische Schilder und Aufschriften

A

accès *m* Zugang, Zufahrt
Accès interdit! Betreten verboten!
accueil *m* Empfang
adresse *f* Adresse
à droite rechts
adultes *m / pl* Erwachsene
aéroport *m* Flughafen
à gauche links
agence *f* Agentur
agence de voyage Reisebüro
aire *f* **de repos** Autobahnparkplatz
alimentation *f* Lebensmittelgeschäft
Allemagne *f* Deutschland
allemand deutsch
Allemand *m* Deutscher
Allemande *f* Deutsche
allô! Hallo! (*Telefon*)
à louer zu vermieten
ambulance *f* Krankenwagen
à midi mittags
Appuyez! Bitte drücken! (*auf Knopf usw.*)
après-midi *m* Nachmittag
arrêt *m* Haltestelle
arrivée *f* Ankunft
ascenseur *m* Aufzug
Attention! Achtung!
Au revoir! Auf Wiedersehen!
Au secours! Hilfe!
autobus *m* Bus
autorisé gestattet
autoroute *f* Autobahn
Autriche *f* Österreich
à vendre zu verkaufen

B

barré gesperrt
Belgique *f* Belgien
Bienvenue! Willkommen!
billet *m* Geldschein; Fahrkarte; Eintrittskarte; Theaterkarte, Kinokarte
billetterie *f* Geldautomat
boissons *f / pl* Getränke
boîte *f* **aux lettres** Briefkasten
boucherie *f* Metzgerei
boulangerie *f* Bäckerei
brasserie *f* (größere) Kneipe
bureau *m* **de tabac** Tabakwarenladen
bus *m* Bus

C

cabine *f* **(téléphonique)** Telefonzelle
caisse *f* Kasse
car *m* Reisebus
carrefour *m* Kreuzung
carte *f* **d'identité** Personalausweis
caution *f* Kaution
Céder le passage! Vorfahrt beachten!
centre *m* Zentrum
change *m* Geldwechsel
charcuterie *f* Wurstwaren
chaud warm, heiß
chaussée *f* Fahrbahn
chèque *m* Scheck
cinéma *m* Kino
coiffeur *m* Friseur
composter entwerten
composteur *m* Entwerter (*für Fahrkarten*)
compris inbegriffen
contrôle *m* Kontrolle
croisement *m* Kreuzung

D

Dames *f/pl* Damen
danger *m* Gefahr
dangereux gefährlich
déjeuner *m* Mittagessen
départ *m* Abfahrt, Abreise, Abflug
déviation *f* Umleitung
dimanche *m* Sonntag
dîner *m* Abendessen
direction *f* Richtung; Leitung
distributeur *m* **automatique** Automat

E

eau *f* **(non) potable** (Kein) Trinkwasser
église *f* Kirche
enfants *m/pl* Kinder
Entrez! Herein!
épicerie *f* Lebensmittelgeschäft
escaliers *m/pl* **roulants** Rolltreppe
essence *f* Benzin
étranger *m* Ausland, Ausländer
euro *m* Euro
exposition *f* Ausstellung
extincteur *m* Feuerlöscher

F

fait main handgemacht
Femmes Frauen
fermé geschlossen
fête *f* Fest
feu *m* **(de signalisation)** Ampel
foire *f* Messe (*Handelsmesse*)
français französisch
Français *m* Franzose
Française *f* Französin
France *f* Frankreich
froid kalt
fumer rauchen
fumeur *m* Raucher

G

gardé bewacht
gare *f* Bahnhof
  gare routière Busbahnhof
gazole *m* Diesel (*Treibstoff*)
grand magasin *m* Kaufhaus
gratuit gratis
groupe *m* Gruppe
guichet *m* Schalter

H

halles *f/pl* Markthalle
handicapés *m/pl* Behinderte
hebdomadaire wöchentlich
heure *f* Uhr, Stunde
heures *f/pl* **d'ouverture** Öffnungszeiten
Hommes *m/pl* Männer
hôpital *m* Krankenhaus
horaire *m* Fahrplan, Flugplan
hors service außer Betrieb
hôtel *m* Hotel
  hôtel de ville Rathaus

I

ici hier
impair ungerade (*Zahl*)
inclus inbegriffen
information *f* Information
interdit verboten
issue *f* **de secours** Notausgang

J

jeudi *m* Donnerstag
jour *m* Tag
jour férié Feiertag
jour ouvrable Werktag
journaux *m/pl* Zeitungen

L

laverie *f* **automatique** Waschsalon
lettres *f/pl* Briefe
librairie *f* Buchhandlung
libre frei
libre service *m* Selbstbedienung
location *f* Vermietung
lundi *m* Montag

M

mairie *f* Rathaus
marché *m* Markt
marché aux puces Flohmarkt
mardi *m* Dienstag
matin *m* Vormittag
médecin *m* Arzt
menu *m* Menü; Speisekarte
mercredi *m* Mittwoch
Messieurs *m/pl* Herren
métro *m* U-Bahn
monnaie *f* Kleingeld; Restgeld, Wechselgeld; Währung
musée *m* Museum

N

non-fumeur *m* Nichtraucher
nuit *f* Nacht
numéro *m* Nummer

O

objets *m/pl* **trouvés** Fundbüro
occupé belegt, besetzt
office *m* **de tourisme** Fremdenverkehrsamt
ouvert offen

P

P.T.T. *f/pl* **(Postes, télégraphe et téléphone)** Post und Telefon
pair gerade *(Zahl)*
parcmètre *m* Parkuhr
parking *m* Parkplatz, Parkhaus
passage *m* **souterrain** Unterführung
passeport *m* Reisepass
péage *m* Maut, Mautstelle
pension *f* Pension
périphérique *m* Ringstraße
petit déjeuner *m* Frühstück
pharmacie *f* Apotheke
pièce *f* Münze
piéton *m* Fußgänger
piscine *f* Schwimmbad
place *f* Platz
plat *m* **du jour** Tagesgericht
poids *m* **lourd** Lkw
police *f* Polizei
pont *m* Brücke
port *m* Hafen
poste *f* Post, Postamt
poste restante postlagernd
Poussez! Bitte drücken!
premier erste(-r, -s)
Premiers Secours *m/pl* Erste Hilfe
pressing *m* Reinigung
priorité *f* Vorfahrt
privé privat
prix *m* Preis
prochain nächste(-r, -s)
promotion *f* Sonderangebot

Prudence! *f* Vorsicht!
public öffentlich
public *m* Publikum

R

R.E.R. *m* **(réseau express régional)** S-Bahn
ralentir langsamer fahren
réception *f* Rezeption
réclamation *f* Beschwerde
réduction *f* Ermäßigung
réduit ermäßigt
Renseignements *m/pl* Auskunft
restaurant *m* Restaurant
retard *m* Verspätung
rez-de-chaussée *m* Erdgeschoss
Risque *m* **d'incendie** Brandgefahr

S

salle *f* Saal
  salle d'attente Warteraum
Salut! Hallo!
samedi *m* Samstag
S.A.M.U. *m* **(Service d'aide médicale urgente)** Notarzt
seconde *f* Sekunde
service *m* Bedienung
signature *f* Unterschrift
Silence! Ruhe!
S.N.C.F. *f* **(Société nationale des chemins de fer français)** französische Eisenbahngesellschaft
soir *m* Abend
sonner klingeln
sonnette *f* Klingel
sortie *f* Ausgang, Ausfahrt
sous-sol *m* Untergeschoss
station *f* **de métro** U-Bahn-station
Stationnement *m* **réglementé!** Parklizenz erforderlich!
Suisse *f* Schweiz
Syndicat *m* **d'initiative** Fremdenverkehrsamt

T

T.G.V. *m* **(train à grande vitesse)** Hochgeschwindigkeitszug
tabac *m* Tabakwarenladen
Tarif *m* **des consommations** Preistabelle *(in Kneipe)*
téléphone *m* Telefon
terrain *m* **de camping** Campingplatz
théâtre *m* Theater
ticket *m* Fahrkarte *(für U-Bahn, S-Bahn, Bus)*
timbres *m/pl* Briefmarken
Tirez! Bitte ziehen!
Toilettes *f/pl* Toilette
tous les jours (sauf) täglich (außer)
tout droit geradeaus
toutes directions alle Richtungen

V

vendredi *m* Freitag
vente *f* Verkauf
visite *f* Besichtigung, Besuch
  visite guidée Führung

Z

zone *f* **piétonne** Fußgängerzone

A

B

C

D

E

F

G

H

I

J

K

L

M

N

O

P

R

S

T

U

V

W

Z